動画制作の
定番アプリを
これ1冊でマスター！

改訂第5版

Premiere Pro & After Effects

いますぐ作れる！
ムービー制作の教科書

阿部信行

技術評論社

●素材動画ファイルのダウンロードについて

本書の解説に使用している素材動画ファイルは、下記のページよりダウンロードできます。ダウンロード時は圧縮ファイルの状態なので、展開してから使用してください。

https://gihyo.jp/book/2025/978-4-297-14962-8/support

免責

本書に記載された内容は、情報の提供のみを目的としています。したがって、本書を用いた運用は、必ずお客様自身の責任と判断によって行ってください。これらの情報の運用の結果、いかなる障害が発生しても、技術評論社および著者はいかなる責任も負いません。

本書記載の情報は、2025年6月現在のものを掲載しております。ご利用時には、変更されている可能性があります。OSやソフトウェア、webページなどは更新や変更が行われる場合があり、本書での説明とは機能や画面などが異なってしまうこともあり得ます。OSやソフトウェア、webページ等の内容が異なることを理由とする、本書の返本、交換および返金には応じられませんので、あらかじめご了承ください。

動作環境

本書は、Premiere Pro CCおよびAfter Effects CCを対象にしています。本書で使用している画像については、Windowsを使用しています。その他のPremiere Pro、After Effectsのバージョン、および異なるOSでは、機能や操作方法が異なる場合があります。また、お使いのパソコン特有の環境によっては、WindowsとPremiere Pro CCおよびAfter Effects CCを利用していた場合でも、本書の操作が行えない可能性があります。本書の動作は、一般的なパソコンの動作環境において正しく動作することを確認しています。以上の注意事項をご承諾いただいた上で、本書をご利用願います。これらの注意事項に関わる理由に基づく、返金、返本を含む、あらゆる対処を、技術評論社および著者は行いません。あらかじめ、ご承知おきください。

■ 本書に掲載した会社名、プログラム名、システム名などは、米国およびその他の国における登録商標または商標です。なお、本文に™マーク、®マークは明記しておりません。

はじめに

本書は、アドビの動画を編集する『Adobe Premiere Pro』とモーショングラフィックスや合成などを行う『Adobe After Effects』の基本操作を、はじめて利用するユーザー向けにわかりやすく解説したガイドブックです。

ところで、動画の編集って何だと思いますか？
一言でいえば、「動画の作品を作ること」といえます。
でも、たとえばスマホで撮った動画をそのままYouTubeなどで公開するのであれば、いちいち編集など面倒なことをして作らなくてもよいのでは、
と思いますよね。

例えて言えば、スマホで撮った動画は、道端の「石ころ」みたいなものです。
あ、最近はどこも舗装されているから石ころなんかないですかね（笑）。
じゃあ、河原の石ころかな。

石ころは、そのままではただの石ころです。
でも、この石ころを装飾台の上に置いたり、石ころにペイントして絵を描いたりすると、それだけでアートになりませんか？

動画も同じです。スマホで撮った動画は、そのままでは動画データです。
でも、複数の動画データを組み合わせることで、
こんなことを伝えたい、あんなことを伝えたい、
と、「自分の伝えたいことを、相手に伝えることができる」ようになるのです。
それが、動画の作品を作るということであり、動画編集の目的だと思うのです。

自分の伝えたいことを、伝えたい人に、きちんと伝える。
それが動画の編集です。そして、「動画をデザインする」ことだといえます。
そして、動画をデザインするためには基本的な編集テクニックを知っておく必要があります。
高度なテクニックは必要ありません。まずは、基本的なテクニックです。
これをマスターできれば、とりあえず伝えたいことを伝える動画作品は、
作成できるようになります。

さらにカッコよく表現したい場合は、他のガイドブックなどを利用してください。
でも、それらを理解するには、やっぱり基本操作を覚えておく必要があります。

まずは本書で2つのソフトの基本操作を覚えてください。
そして、自分の作品を作ってください。
本書でそのお手伝いができれば、筆者としては幸いです。

2025年　阿部信行

Contents
目次

基礎知識編

動画編集の基本を知る

- 01 動画は写真のアニメーション　動画編集に必要な3つの用語 ... 10
- 02 動画のファイル形式とコーデックの基礎知識 ... 12
- 03 ハイビジョンと解像度の基礎知識 ... 14
- 04 Premiere Pro と After Effects の動画編集ワークフロー ... 16

Premiere Pro 編

Premiere Pro の基本を知る

- 01 Premiere Pro の5つの画面の役割 ... 18
- 02 ホーム画面と新規プロジェクトの設定 ... 20
- 03 新規プロジェクトの開始 ... 22
- 04 素材の表示と選択 ... 24
- 05 読み込み時の設定と読み込みの実行 ... 26
- 06 ワークスペースを「編集」に切り替える ... 28
- 07 Premiere Pro の「編集」画面 ... 30
- 08 Premiere Pro の環境設定 ... 32
- 09 「編集」画面で素材を追加する ... 34
- 10 シーケンスの操作 ... 36
- 11 クリップをプレビューする ... 44
- 12 クリップの配置／挿入／並べ替え ... 46
- 13 クリップの削除とギャップの削除 ... 50
- 14 クリップをトリミングする ... 52
- 15 トラックを追加／削除する ... 57

Chapter 3 トランジションとエフェクトで動画を演出する

- 01 トランジションを設定する ……… 60
- 02 トランジションを変更／削除する ……… 62
- 03 トランジションの表示時間を変更する ……… 64
- 04 トランジションをカスタマイズする ……… 66
- 05 AIの生成拡張でフレームを生成する ……… 68
- 06 フェードイン／フェードアウトを設定する ……… 72
- 07 エフェクトを設定する ……… 75
- 08 エフェクトを調整する ……… 78
- 09 エフェクトを複数設定する ……… 80
- 10 エフェクトをアニメーションさせる ……… 82
- 11 「プロパティ」パネルを活用する ……… 86
- 12 マスク&トラックを設定する ……… 90
- 13 マスク機能を利用して合成する ……… 96
- 14 特定の色を別の色に変更する ……… 100

Chapter 4 タイトルとキャプションを作成する

- 01 メインタイトルを作成する ……… 104
- 02 タイトルをカスタマイズする ……… 108
- 03 タイトルをアニメーションさせる ……… 116
- 04 ロールタイトルを作成する ……… 120
- 05 文字起こし機能を利用する ……… 124
- 06 文字起こししたテキストをキャプションに変更する ……… 127
- 07 キャプションをカスタマイズする ……… 130

Chapter 5 オーディオを編集する

- 01 BGMを設定する ……… 134
- 02 クリップやトラックの音量を調整する ……… 136
- 03 ミキサーを利用して音量を調整する ……… 140
- 04 クリップの音量をノーマライズする ……… 144

05	BGMにフェードイン／フェードアウトを設定する	146
06	リミックス機能でオーディオをトリミングする	150
07	動画から音声データを削除する	154
08	ナレーションを録音する	156

Chapter 6 Premiere Proから出力する

01	「クイック書き出し」ですばやく出力する	162
02	「書き出し」画面から出力する	164
03	Media Encoderから出力する	167
04	YouTubeに動画をアップロードする	170

After Effects 編

Chapter 7 After Effectsの基本を知る

01	After Effectsでできること	174
02	After Effectsのワークフロー	176
03	After Effectsの画面構成	180
04	After Effectsの環境設定	182
05	After Effectsの起動とコンポジションの設定	184
06	フッテージを読み込む	188
07	レイヤーについて理解する	190
08	レイヤーを編集する	194
09	フッテージをコンポジションに配置する	198
10	コンポジションをプレビューする	200
11	プロジェクトを保存する	201

Chapter 8 テキストアニメーションを作成する

- 01 テキストアニメーションを作成する ... 204
- 02 テキストを入力する ... 206
- 03 テキストをカスタマイズする ... 208
- 04 テキストが移動するアニメーション ... 210
- 05 テキストサイズが変化するアニメーション ... 214
- 06 テキストが回転するアニメーション ... 216
- 07 テキストがフェードアウト／フェードインするアニメーション ... 218
- 08 キーフレームを操作する ... 221
- 09 アニメーターで1文字ずつアニメーションさせる ... 224
- 10 テキストがパスに沿って動くアニメーション ... 228
- 11 コンポジションを操作する ... 232
- 12 イージーイーズを設定する ... 234
- 13 テキストアニメーションにイージーイーズを加える ... 237

Chapter 9 シェイプとマスクを利用したアニメーションを作成する

- 01 シェイプを作成する ... 244
- 02 シェイプをアレンジする ... 246
- 03 基本オプションで図形をアニメーションさせる ... 248
- 04 動画にマスクを設定する ... 250
- 05 マスクの拡張でアニメーションさせる ... 252
- 06 マスクパスでアニメーションさせる ... 254
- 07 手書き風アニメーションを作成する ... 258
- 08 シェイプとマスクでコールアウトタイトルを作成する ... 262
- 09 シェイプアニメーションを作成する ... 266
- 10 ラインのアニメーションを作成する ... 272
- 11 マスクを使ってテキストのアニメーションを作成する ... 276
- 12 テキストとラインが消えるアニメーションを作成する ... 282
- 13 トラッキングで動画と合成する ... 285

Chapter 10 レイヤーとエフェクトを活用する

- 01 カメラレイヤーで3D空間を利用する ……… 294
- 02 カメラレイヤーをアニメーションさせる ……… 298
- 03 ライトレイヤーを利用したアニメーション ……… 302
- 04 「ロトブラシ」で切り抜き&合成する ……… 306
- 05 「白黒」でセピアカラーを実現する ……… 308
- 06 「CC Particle Systems II」でパーティクルを作成する ……… 310
- 07 「CC Snowfall」で雪を降らせる ……… 314
- 08 球体アニメーション用の2Dデータを作成する ……… 318
- 09 レイヤーをプリコンポーズする ……… 322
- 10 「CC Sphere」で球体を作成する ……… 324
- 11 球体を回転させる ……… 325

Chapter 11 After Effectsから出力する

- 01 Media Encoderから出力する ……… 330
- 02 「レンダーキューに追加」から出力する ……… 332

Premiere Pro & After Effects 連携 編

Chapter 12 Premiere ProとAfter Effectsを連携させる

- 01 Premiere ProにAfter Effectsのコンポジションを読み込む ……… 336
- 02 Premiere ProのクリップをAfter Effectsのコンポジションに置き換える ……… 340
- 03 Premiere ProからAfter Effectsのコンポジションを作成する ……… 344

索引 ……… 348

Chapter

1

基礎知識 編

動画編集の基本を知る

Section 01 動画は写真のアニメーション 動画編集に必要な3つの用語

映像が動く動画は、どのようなしくみになっているのでしょうか？　ここでは、動画編集に必要な3つの用語とプラスワンの用語を学ぶことで、動画のしくみを理解しましょう。

フレームとフレームレート

最初に、「フレーム」と「フレームレート」について覚えましょう。動画データが動きを表現するしくみを理解するには、この2つの用語を知ることが重要です。動画の基本は、「パラパラ漫画」です。昔、教科書の隅などに絵を描いて、ページをパラパラとめくってアニメーションを作ったことはありませんか？　実際のアニメーションのしくみも、基本的にはこれと同じです。「セル画」と呼ばれる静止画像を何枚も描き、それを1枚ずつフィルムに撮影して動きを表現しています（現在では、セル画をデジタルで描いているので撮影はしませんが…）。

動画データも、基本的なしくみはアニメーションと同じです。静止画像、すなわち写真を連続して撮影し、これを高速に切り替えて表示することで動きを表現します。この静止画像のことを、動画編集では「フレーム」と呼んでいます。そして、1秒間に何枚のフレームを表示するかを「フレームレート」といいます。

ビデオカメラ映像やテレビ映像などの一般的な動画では、1秒間に約30枚のフレームを切り替えて表示しています。この時のフレームレートを「30フレームレート」といいます。カタログなどでは、このフレームレートを「fps」(frames per second) という単位で表記し、「30フレームレート」は「30fps」と表記されます。

なお、現在の動画には「29.97fps」と表記されています。これは、テレビがモノクロだった時代は30fpsでよかったのですが、カラー放送が始まると、カラー信号も同時に伝送するために29.97fpsが最適だったからです。

フレーム（静止画像）を高速に切り替えることで、動きを表現している。

タイムコード

3つ目の用語が、「タイムコード」です。1秒間に30枚ものフレーム、すなわち静止画像を扱うとなると、特定のフレームを指定するのも大変です。例えば30fpsの場合、先頭から10秒後のフレームは、30×10で300フレーム目になります。これが、10分後、1時間後となると、数値が大変な桁数になってしまいます。

そのため、ビデオ編集で特定のフレームを指定する場合は、「タイムコード」というものを利用します。タイムコードでは、ある特定のフレームを指定するのに次のような表記を行います。

タイムコードの表記。

上の図で指定しているフレームは、先頭から「2分14秒26フレーム目」のフレームになります。なお、30fpsの場合の最後のフレーム数は30です。そのため、「00;02;14;29」の次のフレームは「00;02;15;00」というように、1秒繰り上がることになります。

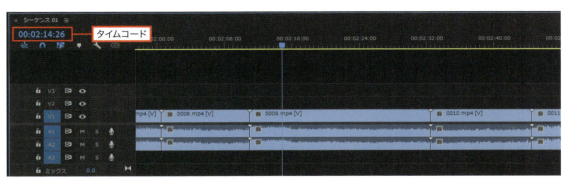

Premiere Proでのタイムコードの表示。

アスペクト比

3つの用語に加えて知っておきたいのが、「アスペクト比」です。動画で利用するフレームは、縦横の比率が決まっています。現在の主流となっているハイビジョン映像は、縦横の比率が「16（横):9（縦）」です。この縦横比のことを「アスペクト比」といいます。

なお、ハイビジョンが主流となる前に利用されていた「標準映像」と呼ばれる動画データは、アスペクト比が「4（横):3（縦）」でした。動画の編集を行う場合、どのアスペクト比で編集するかが重要なポイントになります。用語の意味をしっかりと覚えておいてください。

標準のアスペクト比は4:3、ハイビジョンのアスペクト比は16:9。

Section 02 動画のファイル形式とコーデックの基礎知識

動画データのファイル形式には、MTS形式やMP4形式など、さまざまなものがあります。ただし、これらのファイル形式は動画ファイルそれ自体ではなく、動画ファイルを運ぶための「コンテナファイル」の形式になります。

コンテナとコーデック

動画データを編集する際、「シーケンス」と呼ばれるパネルのトラックに動画データを配置すると、映像と音声の2種類のデータが配置されます。本書のサンプルの動画データはMP4形式というファイル形式を利用していますが、これも同じように2種類のデータが配置されます。これは、「MP4」というデータを運ぶための「コンテナファイル」に映像データと音声データの2つのデータが格納されているためです。このコンテナファイルを配置することによって、映像と音声の2種類のデータがトラックに配置されるのです。

動画内の映像データは、編集を終えると「圧縮」という作業を行って出力されます。この圧縮に利用するプログラムを「コーデック」といい、コーデックは「圧縮作業」(エンコード)と圧縮したデータを元に戻す「伸張作業」(デコード)の両方を担当します。コーデックの中でもっとも一般的なのが、「H.264」(えいちどっとにーろくよん)と呼ばれるコーデックです。H.264で圧縮された映像データは、「MP4」と呼ばれるコンテナファイルに保存されます。

同様に動画内の音声データも、音声圧縮専用のコーデックによって圧縮され、コンテナファイルであるMP4に保存されます。MP4の場合、音声データの圧縮にはAAC(Advanced Audio Coding)というコーデックが利用されています。

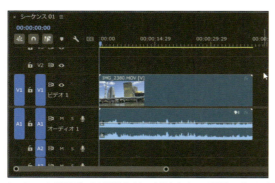

シーケンスに動画データを配置すると、映像と音声の2種類のデータが配置される。

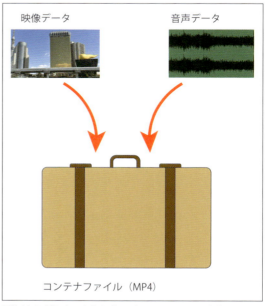

圧縮された映像データと音声データがコンテナファイルに保存される。

MP4なのに再生できない

MP4のコンテナには、H.264だけでなく、他のコーデックで圧縮した動画データも保存することができます。たとえば、次世代コーデックと呼ばれている「H.265」によって圧縮されたデータも、MP4のコンテナとして保存することができます。

皆さんの中には、MP4形式の動画データを再生しようとしたら再生できなかった。でも、Premiere Proに読み込んだら再生も編集もできたという経験をされた方はいないでしょうか？ これは、再生環境にH.265のコーデックが入っていなかったことが原因です。コーデックで圧縮した動画データは、再生する際にもコーデックが必要になります。たとえばH.265の場合、WindowsがH.265というコーデックを持っていないため、H.265で圧縮した動画データは再生できないケースが多いのです。しかし、Premiere ProにはH.265のコーデックが搭載されているので、編集も再生もできるというわけです。macOSも、現在はH.265が標準搭載されています。

MP4形式の動画データの場合、H.264で圧縮してもH.265で圧縮しても、ファイルの拡張子は「.mp4」になります。どちらも同じ拡張子が利用されるので、紛らわしいですね。なお、WindowsでもH.265のコーデックを購入すれば、再生することができます。

MP4形式の動画データ。

コーデックがないので動画データを再生できない。

Premiere Proを使うと、再生も編集もできる。

Section 03 ハイビジョンと解像度の基礎知識

動画の編集では、「解像度」という言葉が利用されます。ここでは、現在主流のハイビジョン映像と、その解像度について解説します。また、2Kや4Kなどについても解説しています。

ハイビジョン

ハイビジョンとは、NHKが開発した「High Definition Television」（高精細度テレビジョン）というテクノロジーの呼称です。一般的に「HD」という略称で利用されます。HDは「High Definition」の頭文字で、「高解像度・高精細」という意味です。このHDと呼ばれるハイビジョンに対して、従来の映像は「Standard Definition Television」（標準画質）、略して「SD」と呼ばれています。現在販売されているビデオカメラやスマートフォン、デジタルカメラは、そのほとんどがハイビジョンに対応しています。本書で利用しているサンプル映像も、ハイビジョン対応のスマートフォンで撮影したものです。

ハイビジョン対応のビデオカメラでは、「AVCHD規格」や「MP4形式」「MOV形式」といった規格が利用されています。これは、ハイビジョン映像をDVDやHDD、SDメモリーといったメディアに記録するための規格で、ソニーとパナソニックの2社によって策定されたものです。

AVCHD規格やMP4形式、MOV形式などでは、撮影した映像を記録する際、圧縮方法（コーデック）として「MPEG-4 AVC／H.264方式」を利用しています（P.12）。これらの規格では、映像データを「動画ファイル」としてメディアに記録し、この動画ファイルをパソコンに読み込むことで、かんたんに編集ができるという特徴があります。

また、本書で利用しているサンプル動画は、iPhoneで撮影したものです。この場合、ファイルは「MOV形式」で記録されています。MOVは、Appleが開発した動画用のコンテナファイルです。そして、動画はハイビジョンと同じフレームサイズで記録され、MPEG-4コーデックでエンコードされています。

SONY デジタル一眼カメラ『α1 II』
(https://www.sony.jp/ichigan/products/ILCE-1M2/)

iPhone 16 Pro
(https://www.apple.com/jp/iphone/)

解像度とアスペクト比

映像の画質は、「解像度」すなわち画素の数で表現されます。解像度、画素の数が大きい方が、より精緻な画質で表現できます。現在のハイビジョンは「フルハイビジョン」（フルHD）と呼ばれる解像度が主流で、「1920（縦）×1080（横）」のピクセル（画素）によって構成されます。従来の標準画質「SD」の解像度は「720×480」ですから、フルハイビジョンは標準画質の4倍の解像度ということになります。

また、ハイビジョンと標準画質とではフレームの縦横比であるアスペクト比も異なります。標準画質ではアスペクト比が「4:3」なのに対し、ハイビジョンでは「16:9」というワイドな比率が利用されています。

アスペクト比「16:9」の映像（ハイビジョン）。

アスペクト比「4:3」の映像（標準画質）。

2K・4Kについて

現在のハイビジョンでは、4K（よんけい）と呼ばれる解像度の利用が普及しています。「K」は、一般的には1000を意味する単位の「キロ」（Kilo）の頭文字ですが、映像の世界ではハイビジョンのことを指しています。

現在のハイビジョン（1920×1080）は横幅が約2000なので、「2K」と表現されます。例えば現在主流となりつつある4Kは、2Kの約4倍となる「4096×2160」や「3840×2160」といった解像度を持っています。4K 解像度の規格には複数の種類があり、規格によって解像度が異なります。これを先の解像度の画像と比較してみると、以下の図のようになります。2021年の東京オリンピックでは、「スーパーハイビジョン」と呼ばれる8K（7680×4320）が放送に利用されていました。

SD、フルHD、4Kの解像度の比較。

Section 04 Premiere ProとAfter Effectsの動画編集ワークフロー

Premiere ProとAfter Effectsでは、どのような手順で動画の編集作業を進めるのかを確認しておきましょう。作業手順の流れと、使い方のポイントを理解してください。

動画編集のワークフローを確認する

アプリケーションの使い方をマスターするには、作業手順の流れを理解することが重要です。以下に、Premiere ProとAfter Effectsを使った動画編集のワークフローをまとめてみました。実際の制作に入る前に、全体の流れを把握しておきましょう。

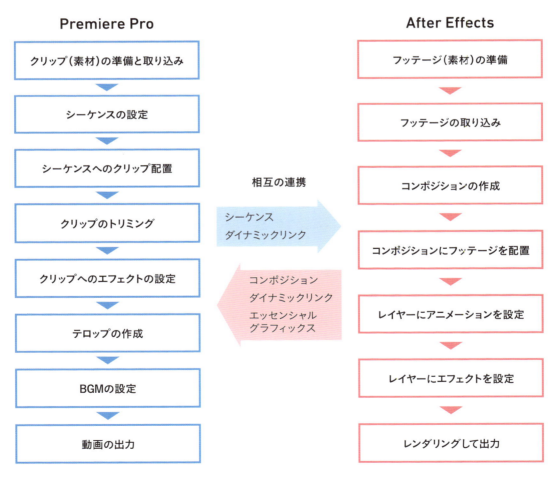

Premiere ProとAfter Effectsのワークフロー。

Chapter 2

Premiere Pro 編

Premiere Pro の基本を知る

Section 01 Premiere Proの5つの画面の役割

Premiere Proは、1つのホーム画面と、3つの画面、1つの出力プログラムで構成されています。ここでは、それぞれの画面の役割について解説します。作業目的に応じて、切り替えて利用します。

ホーム画面（P.20）

ホーム画面は、はじめてプロジェクトを作成する、あるいは既存のプロジェクトを再編集するときに、プロジェクトファイルを選択する画面です。

読み込み画面（P.24）

「読み込み」画面は、これから作成するプロジェクトの設定や、編集作業で利用する素材データの選択を行う画面です。

編集画面（P.30）

「編集」画面は、「読み込み」画面で選択した素材データの編集を行う画面です。いわばPremiere Proのメイン画面です。素材の配置、トリミング、エフェクトの設定、タイトルの設定、BGMの設定など、すべての編集作業をこの画面で行います。

書き出し画面（P.164）

「書き出し」画面は、「編集」画面で編集を終えたプロジェクトを動画ファイルとして出力したり、YouTubeなどのSNSにアップロードしたりするための画面です。なお、動画ファイルの出力は「編集」画面から「クイック書き出し」を利用して行うこともできます（P.162）。

Media Encoder（P.167）

動画ファイルの出力はPremiere Proから行うこともできますが、「Media Encoder」という動画ファイル出力専用プログラムの利用がおすすめです。Media Encoderを利用すると、動画ファイルの出力中でもPremiere Proで編集作業を行うことができます。

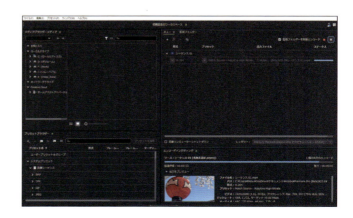

Section 02 ホーム画面と新規プロジェクトの設定

ホーム画面では、これから新しいプロジェクトを作成するのか、あるいは既存のプロジェクトを再編集するのかによって操作の内容が異なります。ホーム画面でできることを理解しておきましょう。

新しいプロジェクトを作成する

Premiere ProをインストールしてPremiere Proを起動すると、最初にホーム画面が表示されます。これから新しいプロジェクト、つまり新しい動画の編集を始める場合は、左上にある「新規プロジェクト」をクリックします❶。画面中央の「プロジェクトを新規作成」❷をクリックしても同じですが、このボタンはインストール直後の起動時にしか表示されません。次回からは表示されなくなるので、必ず左上の「新規プロジェクト」をクリックするようにしてください。

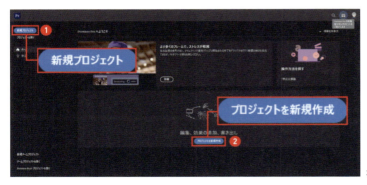

左上の「新規プロジェクト」をクリックする。

既存のプロジェクトを再編集する

すでにPremiere Proでの編集を行っている場合は、「最近使用したもの」にプロジェクトファイルの一覧❶が表示されます。ここで、再編集を行いたいプロジェクトファイル名をクリックしてください❷。前回中断した箇所から、編集を再開できます。

「最近使用したもの」から編集したいプロジェクトを選択する。

プロジェクトファイル名が表示されていない

プロジェクトファイルの一覧に目的のプロジェクト名が表示されない場合は、左上の「プロジェクトを開く」❶をクリックしてください。「プロジェクトを開く」ウィンドウが表示され、プロジェクトファイルを選択できます❷。

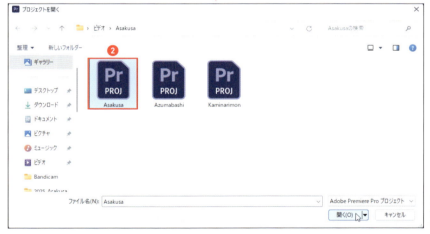

「プロジェクトを開く」を
クリックして、プロジェク
トを選択する。

COLUMN ダブルクリックでPremiere Proを起動する

Premiere Proをすばやく起動する方法として、プロジェクトファイルのダブルクリックがあります。Premiere Proを起動していない状態で、Premiere Proで編集したいプロジェクトファイルをダブルクリックしてください。Premiere Proが起動し、そのプロジェクトファイルを編集できる画面が表示されます。

プロジェクトファイルをダブルクリックする。

Section 03 新規プロジェクトの開始

編集作業を始める前に、プロジェクトファイルの名前と保存場所を指定して保存します。この作業を行うことで、編集を始めることができます。

ファイル名の設定と保存場所の指定

Premiere Proの起動後に「新規プロジェクト」をクリックすると、「新規プロジェクト」ダイアログボックスが表示されます。この画面で、ファイル名や保存場所を指定します。

1 プロジェクト名を入力する

「新規プロジェクト」ダイアログボックスが表示されたら、最初に「プロジェクト名」を設定します。あらかじめ入力されている「名称未設定」という名前を削除し、プロジェクト名を入力します。なお、ここで設定した名前が、プロジェクトのファイル名としても利用されます。

2 ファイルの保存場所を指定する

次に、ファイルの保存場所を指定します。Windowsの場合、デフォルトで「C:¥Users¥＜ユーザー名＞¥OneDrive¥ドキュメント¥Adobe¥Premiere Pro¥25.0」というフォルダーが設定されています。この保存場所を変更しないと、すべてのプロジェクトファイルがこのフォルダーに保存されてしまいます。「場所」の「v」をクリックし❶、「場所を選択」をクリックします❷。

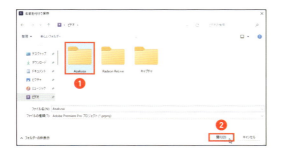

3 フォルダーを選択する

「名前を付けて保存」ウィンドウが表示されるので、プロジェクトファイルを保存したいフォルダーを選択し❶、「開く」をクリックします❷。

プロジェクト名が設定されている

4 ファイルを保存する

フォルダーが開いたら、ウィンドウ右下の「保存」をクリックして、プロジェクトファイルを保存します❶。なお、「ファイル名」には、1 の操作で設定したプロジェクト名が設定されています❷。

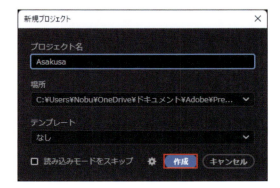

5 「作成」をクリックする

ファイルを保存できたら、「作成」をクリックします。

6 「読み込み」画面が表示される

すると、利用する素材を選択する「読み込み」画面が表示されます。続けて、次ページからの操作に進みます。

 TIPS 「読み込みモードをスキップ」の利用

「新規プロジェクト」ダイアログボックスの下にある「読み込みモードをスキップ」のチェックボックスをクリックしてオンにすると、「読み込み」画面をスキップしてP.30の編集画面を表示することができます。その場合、素材の読み込みは編集画面のプロジェクトパネルから行います（P.24）。また、シーケンスの作成も、素材を読み込んでから手動で行います（P.34）。

読み込みモードをスキップする。

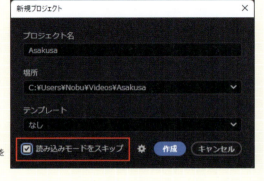

Section 04 素材の表示と選択

「読み込み」画面では、編集で利用する素材の選択を行います。このとき、複数の素材を選択するのではなく、1つだけ選ぶことをおすすめします。

動画素材を表示する

Premiere Proのインストール後、最初に「読み込み」画面を表示すると、初期設定でサンプルメディアが表示されます。ここで、利用したい動画素材が保存されているフォルダに表示を切り替えます。

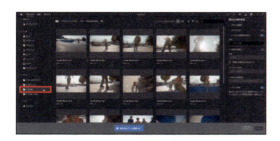

1 ドライブを選択する

編集したいファイルが保存されているドライブを選択します。

2 フォルダーを開く

動画ファイルが保存されているフォルダーをダブルクリックして開きます。このとき、フォルダーは必ずダブルクリックするようにします。フォルダーを1回クリックしただけだとフォルダーが選択状態になり、読み込み対象になるので注意してください。読み込み対象になると、そのフォルダー内にあるすべてのファイルを読み込んでしまいます。なお、フォルダーの階層が深い場合は、フォルダーを開く操作を繰り返してください。

3 サムネイルを表示する

動画ファイルが保存されているフォルダーを開くと、サムネイルが表示されます。

4 サムネイルを選択する

サムネイルが表示されたら、その中から使用する動画ファイルを選択します。このとき、1つのファイルだけを選択します❶。素材を選択すると、画面下のグレーの領域に選択した素材のサムネイルが表示されます❷。

5 読み込み方法を設定する

利用したい素材を選択したら、選択した素材をどのように読み込むかを設定します。設定は画面右側にある「読み込み時の設定」で行います。設定の詳細は次ページで解説します。

POINT 「お気に入り」に登録

動画データなどが保存されているフォルダーを頻繁に開く場合、「お気に入り」に登録しておくと、ワンクリックで素材フォルダーを開くことができます。保存先のフォルダー名が表示されている右端に「☆」があるので❶、これをクリックしてください。すると、左側の「お気に入り」一覧にフォルダー名が登録されます❷。次回からは、登録されたフォルダー名をクリックすれば、フォルダーの中身が表示されます。

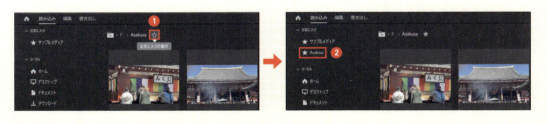

Section 05 読み込み時の設定と読み込みの実行

「読み込み」画面で素材を1つだけ選んだら、「読み込み時の設定」を行います。ここでの設定は、この後の作業で重要になりますので、慎重に行ってください。設定ができたら、読み込みを実行します。

編集を開始する前に行う「読み込み時の設定」

「読み込み時の設定」では、素材を読み込む方法とシーケンスの作成方法などについて設定します。はじめてプロジェクトに素材を読み込む場合は、画面のような設定がおすすめです。

❶「メディアを整理」のオプションを閉く
「メディアを整理」のオプション設定は、矢印マークの「>」をクリックすると表示されます。「メディアを整理」では、これから読み込む素材を保存するためのビン（フォルダー）を作成するかどうかを決めます。

❷「新規ビンに追加」をオンにする
「>」の矢印をクリックしてオプション設定を開き、「新規ビンに追加」のチェックボックスをオンにします。

❸「ビンの名前」を設定する
「名前」には、ビンに保存したデータがどのようなものなのかがわかる名前を設定します。

❹「メディアをコピー」はオフにする
デフォルト設定がオフなので、通常はオフで利用します。例えば、ビデオカメラのメモリーからダイレクトにデータを取り込む場合などは、オンにしてカメラからPCにデータをコピーします。

❺「シーケンスを新規作成する」をオンにする
右側のボタンをクリックすると、ボタンが右に移動して青く表示されます。この状態がオンで、もう一度クリックするとグレーのオフになります。

❻「シーケンスの名前」を設定する
シーケンスの名前を設定します。デフォルトでは「シーケンス01」と設定されています。動画ファイルとして出力すると、このシーケンス名がファイル名に引き継がれます。

❼「自動文字起こし」はオフにする
文字起こし機能は、通常はオフにして利用します。

❽「メディア分析」をオンにする
素材データの検索効率を向上させるため、オンにして利用します。データ数が少ない場合は、オフでもかまいません。分析結果をファイルとして出力することもできます。

 POINT 「ビン」「メディア分析」「シーケンス」

「ビン」は、動画編集では「フォルダー」を意味しています。かつてフィルムで編集を行っていた時代は、カットしたフィルムを放り込んでおくための入れ物がありました。それを「ビン」と呼んでいたのです。そのなごりで、データを保存する入れ物、すなわちフォルダーのことを「ビン」と呼んでいます。「シーケンス」は、Premiere Proで編集作業を行うためのメインエリアです。詳細はP.36で解説しています。「メディア分析」は、素材を読み込む際にAIを使って分析することを意味しています。分析結果はデータ化され、検索に利用されます。

読み込みを実行する

「読み込み時の設定」ができたら、読み込みを実行します。実行は、画面右下の「読み込み」をクリックします。この後、画面は「編集」画面に切り替わります。

「読み込み」をクリックすると、編集画面に切り替わる。

POINT ファイルを1つだけ選ぶ理由

サムネイルから動画ファイルを選択する時は、1つだけ選択することをおすすめしています。動画ファイルを複数選択すると、選択したすべての動画ファイルがシーケンスという場所に表示されます。後からの編集作業が大変になるため、1つだけ選択するようにしてください。

複数の動画ファイルを選択すると…

シーケンスでの編集作業が大変になる。

Section 06 ワークスペースを「編集」に切り替える

Premiere Proの画面はワークスペースと呼ばれ、複数のパネルによって構成されています。ワークスペースは、作業目的に応じて切り替えることができます。

ワークスペースを切り替える

ワークスペースは、複数のパネルによって構成されていて、複数の構成パターンが登録されています。これを、作業内容に応じて使いやすいレイアウトに切り替えて利用します。

1 「学習」から「編集」に切り替える

はじめてPremiere Proを起動すると、「学習」という名前のワークスペースが表示されます。このワークスペースでは、左端に「学習」パネル❶があり、Premiere Proの操作などを学ぶチュートリアルや、関連動画を検索して利用できます。ただし、この画面では編集作業がしづらいので、「編集」というワークスペースに切り替えます。画面右上の「ワークスペース」をクリックし❷、表示されたプルダウンメニューから「編集」をクリックします❸。

2 「編集」ワークスペースに切り替わる

ワークスペースが「編集」に切り替わります。これが、編集作業で利用する基本のワークスペースになります。

ワークスペースを登録する

ワークスペースでは、パネルを移動したりサイズを変更したりして、利用しやすいレイアウトに調整することができます。使いやすいレイアウトが完成したら、これを登録してみましょう。

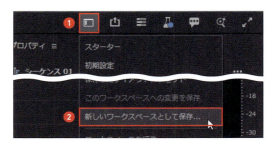

STEP 1 画面右上の「ワークスペース」をクリックし❶、「新しいワークスペースとして保存」をクリックします❷。

STEP 2 ワークスペースの名前を入力し❶、「OK」をクリックします❷。

STEP 3 「ワークスペース」のメニューから❶、登録したワークスペースを選択することができます❷。

ワークスペースを削除する

登録したワークスペースは、不要になったら削除することができます。

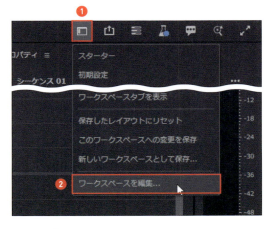

STEP 1 「ワークスペース」をクリックし❶、「ワークスペースを編集」をクリックします❷。

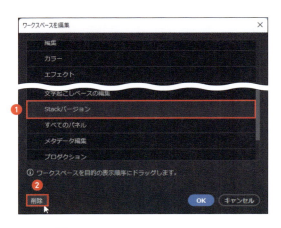

STEP 2 削除したいワークスペースをクリックし❶、「削除」をクリックします❷。

Section 07

Premiere Proの「編集」画面

ここでは、Premiere Proの「編集」画面を構成するパネルの内容と、表示の切り替え方法を解説します。

Premiere Proの画面構成

Premiere Proの編集画面は、「パネル」と呼ばれる複数のウィンドウによって構成されています。また、複数のパネルが集まってグループを構成しているものもあります。Windows版、macOS（Mac）版とも、基本的な画面構成は同じです。

❶ **メニューバー**
Premiere Proのコマンドを表示し、選択／実行します。

❷ **画面切り替え**
「ホーム」「読み込み」「編集」「書き出し」の各画面に切り替えるボタンです。

❸ **アクションボタン**
「ワークスペース」「クイック書き出し」「フルスクリーンビデオ」を実行するためのボタンです。

❹ **「ソースモニター」などのパネルグループ**
クリップの内容を表示／再生する「ソースモニター」や、クリップに設定したエフェクトを操作する「エフェクトコントロール」パネルなどが含まれたグループです。

❺ **「プログラムモニター」**
編集中のクリップの状態を確認／再生するためのパネルです。

❻ **「プロパティ」パネル**
「エフェクトコントロール」パネルを使わず、選択しているクリップの調整ができます。

❼ **「プロジェクト」パネルなどのグループ**
編集中の素材データを管理する「プロジェクト」パネルや、素材に設定するエフェクトを選択する「エフェクト」パネルなどが含まれたグループです。

❽ **「ツール」パネル**
クリップを編集するための各種ツールが配置されたパネルです。

❾ **「タイムライン」パネル**
クリップを編集する「シーケンス」パネルを表示するためのパネルです。

❿ **オーディオマスターメーター**
クリップのオーディオ音量の状態をグラフで表示します。

パネルを切り替える

複数のパネルがグループ化されたウィンドウでは、目的に応じてパネルを切り替えて編集作業を行います。たとえば「ソースモニター」パネルを含むグループでは、次のように操作を行います。

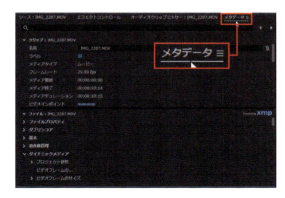

STEP 1 現在表示されているパネルのタブを確認します。画面では「ソースモニター」タブが選択されています。

STEP 2 「メタデータ」タブをクリックします。すると、「メタデータ」パネルに切り替わります。

隠れているタブを表示する

グループ化されているパネルの数が多い場合、すべてのタブが表示されていない場合があります。そのような場合は、「パネルメニュー」からタブを選択して表示します。

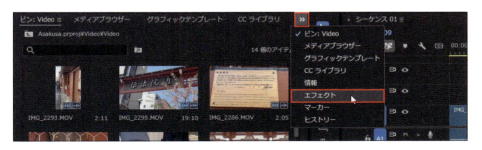

STEP 1 パネルグループの右上にある「>>」をクリックすると、パネルメニューが表示されます。この中から、利用したいタブ名を選択します。

STEP 2 選択したタブ名のパネルが表示されました。

Section 08 Premiere Proの環境設定

Premiere Proを快適に利用するには、環境設定が重要です。ここでは「ビン」の表示と、「自動保存」に関する設定について解説します。

「ビン」の表示方法を変更する

「プロジェクト」パネルのビンを表示する方法には、次の3種類があります。それぞれの表示方法によって、開かれた時の状態が異なります。

- **新規タブで開く**：新しいタブとして表示されます。
- **同じ場所で開く**：「プロジェクト」パネルと同じ場所に表示されます。
- **新規ウィンドウで開く**：新しいウィンドウとしてフロート状態で表示されます。

たとえばビンをダブルクリックした時に「同じ場所で開く」ように設定を変更すると、新しいタブとして表示されるのではなく、タブがビンの名前に切り替わって表示されます。

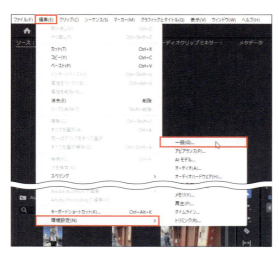

STEP 1 メニューバーから、「編集」→「環境設定」→「一般」の順にクリックします。macOSの場合は、「Premiere Pro」→「環境設定」→「一般」の順にクリックします。

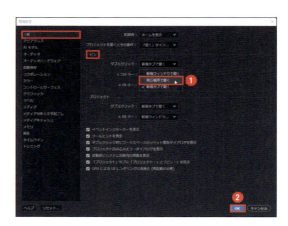

STEP 2 「一般」にある「ビン」→「ダブルクリック」の「v」をクリックし、表示方法を選択します。ここでは、「同じ場所で開く」を選択します❶。「OK」をクリックします❷。

「自動保存」の間隔を設定する

動画編集の作業は、ハードウェアの機能を最大限に利用して処理を行います。そのため、ハングアップしたり、突然シャットダウンしたりといった事故が起こりかねません。小まめにプロジェクトを保存すればよいのですが、忘れてしまうこともあります。そのような時のために、Premiere Proではプロジェクトを自動保存する機能がデフォルトでオンになっています。自動保存の間隔の確認と、「プロジェクトバージョン」の確認を行いましょう。

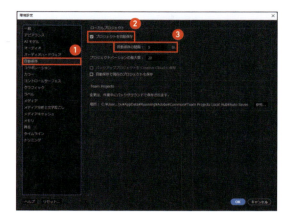

STEP 1 「環境設定」画面で、「自動保存」をクリックします❶。「プロジェクトを自動保存」のチェックはデフォルトでオンになっていますが、オフになっている場合はチェックを入れ、オンにします❷。
「自動保存の間隔」❸は、デフォルトで5分に設定されています。動画編集に慣れるまでは、この間隔を5分のままにしておきましょう。

STEP 2 「プロジェクトバージョンの最大数」は、「5」に設定します❶。新しいプロジェクトファイルが自動保存されると、一番古いプロジェクトファイルは自動的に削除され、常時5つのプロジェクトファイルが自動保存された状態で利用できます。設定が完了したら、「OK」をクリックします❷。

POINT プロジェクトバージョン

自動保存されたプロジェクトファイルは、P.22でファイルの保存先として設定したフォルダーに保存されます。同時に、「Adobe Premiere Pro Auto-Save」というフォルダーが作成され、ここにもプロジェクトファイルと、「プロジェクトバージョン」のファイルが保存されます。
このプロジェクトバージョンは、上記のSTEP1で設定されている間隔で保存されたプロジェクトファイルです。このファイルには、タイムスタンプ時点での編集状態が保存されており、そこから再編集を開始することができます。

設定した間隔でプロジェクトファイルが保存される。

Section 09 「編集」画面で素材を追加する

「編集」画面から、編集で利用する素材データを追加で読み込んでみましょう。なお、起動時に「読み込みモード」をスキップした場合も（P.23）、ここでの方法で読み込みを行います。

動画データを追加で読み込む

「編集」画面から、P.24の起動時に選択しなかった動画データを追加で読み込んでみましょう。

1 ビンを開く

P.24の「読み込み」画面で選択した素材データは、「プロジェクト」パネルの「Video」というビンの中に読み込まれています。これをダブルクリックして開きます。なお、ビンの右側にあるサムネイル（縮小画像）は、シーケンスのサムネイルです。

2 「読み込み」画面に切り替える

画面左上の「読み込み」をクリックし、画面を切り替えます。

3 追加する素材を選択する

素材が保存されているフォルダーを開き、読み込みたい動画をクリックして選択します❶。選択した素材のサムネイルが、画面下の帯の部分に選択した順に表示されます❷。

4 「読み込み時の設定」を設定する

「読み込み時の設定」では、「新規ビンに追加」と「シーケンスを新規作成する」を必ずオフに設定しておきます❶。「メディア分析」は、オンに設定します❷。設定できたら、「読み込み」をクリックします❸。

5 追加で読み込まれる

最初に読み込んだ素材と同じビンに、素材データが追加で読み込まれました。

Section 10 シーケンスの操作

Premiere Proでのビデオ編集は、シーケンスの機能と利用方法を理解することが重要です。シーケンスについて理解できれば、Premiere Proを使いこなすこともそれほど難しくありません。ここでは、シーケンスの基本について解説します。

プロジェクトパネルの素材とシーケンス

シーケンスを理解するためには、プロジェクトパネルについても知っておく必要があります。シーケンスとプロジェクトパネルは、とても密接な関係にあるからです。プロジェクトパネルに読み込んだ素材は「クリップ」とも呼ばれ、あらかじめシーケンスに配置された状態で読み込まれます。このとき、シーケンスに配置されているかいないかによって、サムネイルの右下に表示されるアイコンが変わります。また、シーケンス自体のサムネイルも一緒に登録されています。

≫ シーケンスに配置されているクリップ

クリップがシーケンスに配置されている場合、サムネイルの右下には映像と音声のアイコンが青色で表示されています。

≫ シーケンスに配置されていないクリップ

クリップがシーケンスに配置されていない場合、サムネイルの右下には音声のアイコンだけが白色で表示されます。

≫ シーケンス自身のサムネイル

シーケンスが作成されると、シーケンス用のサムネイルが登録されます。サムネイルの右下には、シーケンスであることを示すアイコンが表示されています。

POINT サムネイルの表示情報

サムネイルには、右のようなクリップの情報が表示されています。デュレーションとは、再生時間、映像や音声の長さのことです。

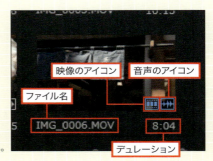

クリップの情報が表示されている。

「シーケンス」パネルの機能と名称

「シーケンス」パネルは、映像データを配置する「ビデオトラック」、音声データを配置する「オーディオトラック」、時間軸を示す「タイムライン」などによって構成されています。ここで、「シーケンス」パネルの機能と名称を確認しておきましょう。

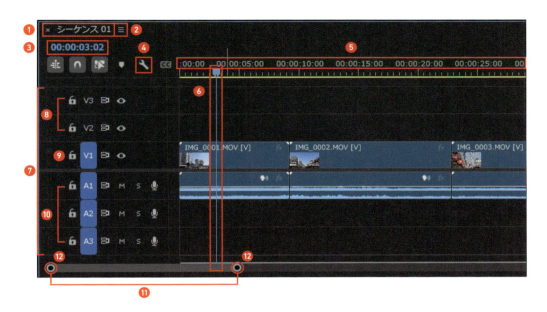

❶ タブ
シーケンス名が表示されています。複数のシーケンスを表示している場合は、タブをクリックしてシーケンスを切り替えます。「×」をクリックすると、シーケンスを閉じることができます。

❷ パネルメニュー
クリックすると、シーケンスの機能に応じたパネルメニューの表示／非表示ができます。

❸ 現在の時間表示
編集ラインがある位置のタイムコードを表示します。

❹ タイムライン表示設定
シーケンスを構成する各属性の表示／非表示を選択するメニューを表示します。

❺ 時間スケール
シーケンスの時間を表示する時間軸です。ズームイン／ズームアウトによって、表示時間の単位を変更できます。なお、時間スケールのことを「タイムラインルーラー」とも呼びます。

❻ 再生ヘッドと編集ライン
編集対象となっているフレームの位置を表示します。編集ラインのある位置のフレーム映像が、「プログラムモニター」に表示されます。

❼ トラックヘッダー
トラック名や映像表示のオン／オフ、音声のミュート、録音など、トラック操作をするための機能で構成されています。

❽ ビデオトラック（スーパーインポーズトラック）
基本となるクリップに対して、合成するクリップを配置するためのトラックです。「V1」をメイントラック、「V2」「V3」以降をスーパーインポーズトラックといいます。基本のクリップはメイントラックに配置し、そのクリップに合成したい素材をスーパーインポーズトラックに配置します。

❾ ビデオトラック（メイントラック）
編集の基本となるビデオトラックです。メイントラックと呼ばれ、「V1」と表示されます。このトラックに基本となるクリップを配置して編集します。「V1」トラックに配置したクリップと別のクリップを合成したい場合は、合成したいクリップをスーパーインポーズトラックに配置します。

❿ オーディオトラック
ビデオクリップ内の音声データが表示されるトラックです。BGMや効果音を追加したい場合は、ここにオーディオクリップを配置します。

⓫ スクロールバー
ドラッグすると、タイムラインをスクロールできます。

⓬ ズームハンドル
スクロールバーの左右にある「○」がズームハンドルです。ハンドルをドラッグすると、タイムライン表示の拡大／縮小ができます。

シーケンスを拡大／縮小する

「シーケンス」パネルのタイムラインは、スクロールバーの左右にあるズームハンドルの操作で、表示の拡大／縮小が可能です。ズームハンドルを左右にドラッグして、タイムラインの表示をズームイン／ズームアウトできます。左右どちらのハンドルでも操作できますが、ズームイン／ズームアウトの結果はそれぞれ逆になります。

STEP 1 スライダーの右側にあるズームハンドルを右にドラッグすると、タイムラインをズームアウト（縮小）できます。

STEP 2 スライダーの右側にあるズームハンドルを左にドラッグすると、タイムラインをズームイン（拡大）できます。

トラックの高さを調整する

トラックの高さは、トラックの先頭の何もない場所をダブルクリックすることで調整できます。

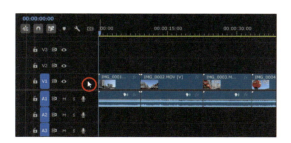

STEP 1 トラックの先頭の何もない場所にマウスポインターを合わせ、ダブルクリックします。

STEP 2 トラックの高さが変更され、高くなって表示されます。もう一度ダブルクリックすると、元の高さに戻ります。オーディオトラックでも、同様の操作が可能です。

TIPS クリップのサムネイルを表示

トラックの高さを変更すると、タイムライン上にクリップのサムネイルが表示されます。サムネイルが表示されない場合は、スパナの形をした「タイムライン表示設定」（P.37）をクリックし、「ビデオのサムネールを表示」をオンにしてください。

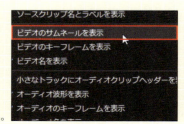

「ビデオのサムネールを表示」をオンにする。

新規シーケンスを手動で作成する

P.26の「読み込み」画面で「シーケンスを新規作成する」がオンに設定されている場合、Premiere Proが自動的にシーケンスを作成してくれます。しかし、ここがオフの場合 (P.26 ❺ の設定)、シーケンスは作成されません。その場合は、シーケンスを手動で作成します。また、「読み込みモード」をスキップして新規プロジェクトを起動した場合も (P.23)、素材の取り込みを行ってからシーケンスを作成します。編集中に新たにシーケンスが必要になった場合も、同様の方法で新規にシーケンスを作成できます。

1　ファイルを選択する

「ビン」パネルを表示し、どれでもよいのでクリップを1つ選択します。

2　タイムラインにドラッグ＆ドロップする

選択したクリップを「タイムライン：（シーケンスなし）」にドラッグ＆ドロップします。

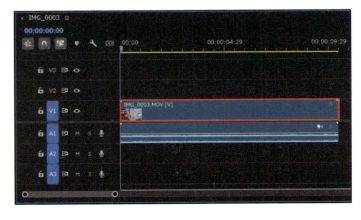

3　シーケンスが作成される

すると、「タイムライン」パネルにシーケンスが作成されます。

シーケンスの条件

シーケンスを作成する場合、以下の条件を満たす必要があります。これは、編集で利用するシーケンスは、これから編集する動画素材の形式と同じ設定にしておく必要があるからです。「読み込み」画面の「読み込み時の設定」で「シーケンスを新規作成する」をオンに設定しておくことで、読み込む素材と同じ設定でシーケンスが作成されます。

● 編集する動画素材と同じ設定にする

≫ 作成したシーケンスの設定を確認する

それでは、シーケンスの設定がどのようなものなのか、確認してみましょう。

STEP 1 シーケンスを選択します。

STEP 2 「シーケンス」❶→「シーケンス設定」❷の順にクリックします。

STEP 3 シーケンス設定画面が表示されます。

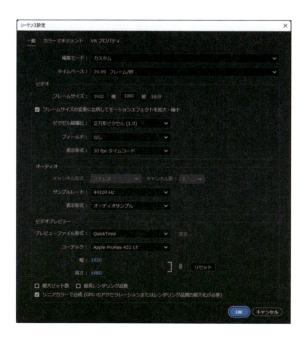

≫ メディアのプロパティを確認する

次に、シーケンスにドラッグ&ドロップしたビデオクリップのプロパティ（属性）を確認してみましょう。

STEP 1 ビデオクリップを右クリックし❶、「メディアファイルプロパティ」をクリックします❷。

STEP 2 メディアファイルプロパティの画面が表示されます。

STEP 3 左ページで表示したシーケンス設定画面（左）とメディアファイルプロパティの画面（右）を比較し、シーケンスとビデオクリップが同じ設定になっていることを確認します。

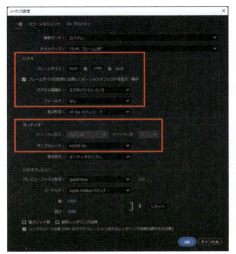

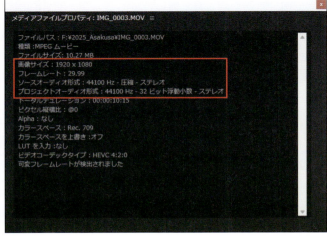

シーケンス名を変更する

P.26の❻で設定したシーケンス名は、ドラッグ&ドロップしたファイル名と同じです。ここでは、シーケンスの名前を変更してみましょう。

1 シーケンス名をクリックする

シーケンス名をクリックします。

2 シーケンス名を変更する

シーケンス名を変更し、Enterキーを押します。

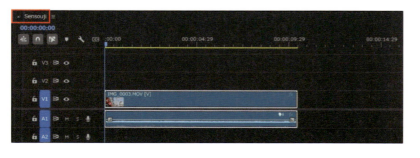

3 シーケンス名が変わる

シーケンス名が変更されます。

シーケンスを閉じる／表示する

表示されているシーケンスは、閉じたり表示したりすることができます。

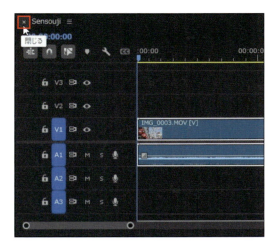

1 シーケンスを閉じる

シーケンス名が表示されているタブの左側にある「×」をクリックすると、シーケンスを閉じることができます。

2 シーケンスを表示する

プロジェクトパネル内のシーケンスのサムネイルをダブルクリックします。

3 シーケンスが表示される

シーケンスが、「タイムライン」パネルに表示されます。

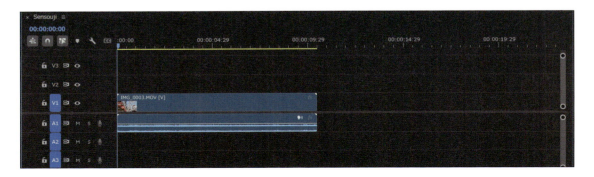

Section 11 クリップをプレビューする

シーケンスにクリップを配置する上で、クリップをプレビューし、動画の内容を確認する方法を知っておきましょう。

ビデオクリップをプレビューする

ビデオクリップをシーケンスに配置する前に、クリップの内容をプレビュー（事前確認）してみましょう。

≫ サムネイル上でマウスを動かす

「ビン」パネルのサムネイルの上にマウスポインターを合わせ、左から右へ動かします。サムネイルの左端が映像の始まり、右端が映像の終わりに該当し、この間でマウスを動かすことで内容を確認できます。

≫ スライダーをドラッグする

「ビン」パネルのクリップをクリックすると、サムネイルの下にスライダーが表示されます。このスライダーをドラッグして、クリップの内容を確認できます。

》「ソースモニター」を利用する

「ビン」パネルのクリップをダブルクリックすると❶、「ソースモニター」に映像が表示されます❷。ここで「コントロールパネル」のボタンを操作して❸、内容を確認できます。

また、メモリが表示されているタイムラインルーラーと呼ばれる時間スケールには、青色の再生ヘッド❹があります。これをドラッグしてプレビューすることもできます。

Section 12 クリップの配置／挿入／並べ替え

「プロジェクト」パネルに読み込んだクリップは、シーケンスのトラックに配置して編集作業を開始します。また、クリップとクリップの間に挿入したり、順番を並べ替えるときには、上書きしないように操作する必要があります。

クリップをシーケンスに配置する

編集で利用したいクリップは、「ビン」パネルから「シーケンス」パネルのビデオトラック「V1」に配置して、作業を行います。

1 クリップを選択する

「ビン」パネルを開き、編集に利用したいクリップをクリックして選択します。クリップの内容は、P.44の方法でプレビュー（事前確認）しておきます。

2 ドラッグ＆ドロップで配置する

利用したいクリップを、「シーケンス」パネルのビデオトラック「V1」にドラッグ＆ドロップします。一般的なビデオクリップは映像と音声の2つのデータが1つにまとめられているので、ビデオトラックに付随するオーディオトラックも同時に配置されます。音声部分は「A1」に配置されます。

3 複数のクリップを配置する

同様の方法で、「シーケンス」パネルのビデオトラックに複数のクリップを配置します。スナップ機能がオンになっている場合（下記POINT参照）、クリップは前のクリップの終端に吸い付くように配置されます。

 POINT スナップ機能を利用する

Premiere Proでは、デフォルトで「スナップ」機能がオンになっています。オンの場合、タイムコード下の「タイムラインをスナップイン」ボタンがグレーボタンで表示されます。オンでない（グレーがない）場合は、ボタンをクリックしてオンにしてください。

「タイムラインをスナップイン」ボタンで「スナップ」機能のオンオフを切り替える。

クリップとクリップの間に挿入する

シーケンスに配置したクリップとクリップの間に、「プロジェクト」パネルから別のクリップをドラッグ&ドロップで配置します。このとき、上書きしないようにショートカットキーを利用して挿入します。

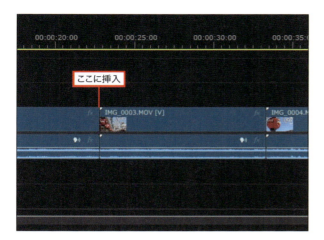

1 クリップとクリップの間に挿入する

ここでは、「プロジェクト」パネルの「0006」をシーケンス上の「0002」と「0003」の間に挿入します。

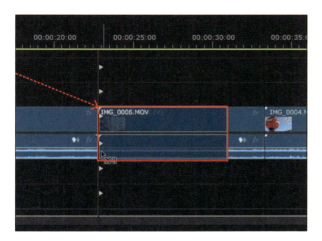

2 クリップをドラッグ&ドロップする

このとき、Ctrl キー（macOS：command キー）を押しながらドラッグ&ドロップするようにします。ショートカットキーを押しながらドラッグすると、白い三角マークが表示されます。

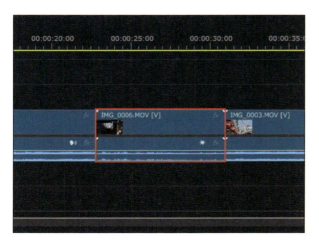

3 クリップが挿入される

マウスのボタンを離すと、クリップが挿入されます。ショートカットキーを使わないと、クリップが上書きされてしまうので注意が必要です。

クリップを並べ替える

トラックに配置したクリップの順番を入れ換えるには、移動させたいクリップを、移動先のクリップとクリップの接合している点（編集点）にドラッグ&ドロップします。このとき、単にドラッグ&ドロップすると、下のクリップが上書きされ、消えてしまいます。そのため、ショートカットキーを利用して入れ替えます。

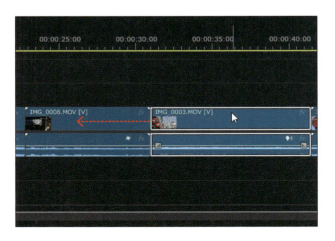

1 クリップをドラッグ&ドロップする

トラックに配置されている画面のクリップ「IMG_0003.MOV」を、左にある「IMG_0006.MOV」と入れ替えてみましょう。「IMG_0003.MOV」を「IMG_0006.MOV」の前にドラッグ&ドロップします。

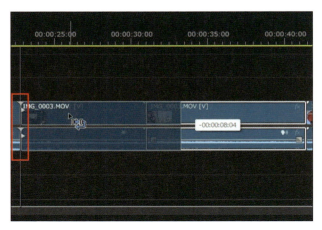

2 ショートカットキーを利用する

このとき、Ctrl + Alt キー（macOS：command + option キー）を押しながらドラッグすると、白い三角マークが表示されます。

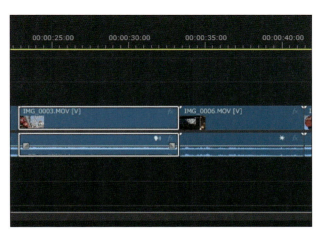

3 クリップが入れ替えられる

マウスのボタンを離すと、クリップが入れ替えられます。ここでは、「IMG_0003.MOV」と「IMG_0006.MOV」が入れ替えられました。

TIPS シーケンスのネスト

シーケンスのトラックには、動画などの素材クリップだけでなく、他のシーケンスをクリップとして配置することができます。

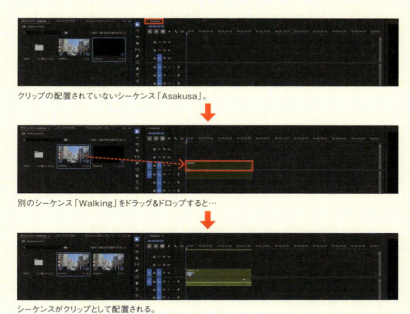

クリップの配置されていないシーケンス「Asakusa」。

別のシーケンス「Walking」をドラッグ&ドロップすると…

シーケンスがクリップとして配置される。

TIPS トラックのサイズ調整のショートカットキー

トラックにクリップを複数並べると、トラックの右側にクリップを入れる空きがなくなります。このような場合は、P.38で紹介したズームハンドルを利用しますが、ショートカットキーも便利です。キーボードの￥キーを押すと、配置されたクリップが全体表示され、トラックの右側に空きができます。もう一度￥キーを押すと、元のサイズに戻ります。

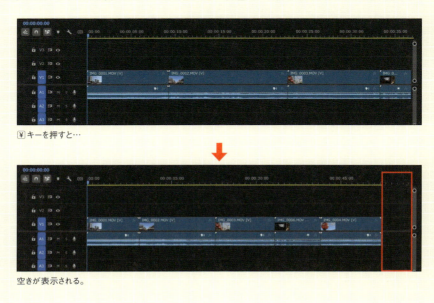

￥キーを押すと…

空きが表示される。

Section 13 クリップの削除とギャップの削除

シーケンスのトラックに配置したクリップを削除する場合、ギャップが発生しないように注意します。ギャップが発生した場合は、削除しましょう。

クリップの削除ではギャップに注意する

シーケンスのトラックに配置したクリップは、削除したいクリップを選択して Delete キーを押せば削除できます。しかし、この方法でクリップとクリップに挟まれたクリップを削除すると、ギャップができてしまいます。ギャップとは、クリップのない空白域がトラックにできてしまうことです❶。ギャップがある箇所では、映像が黒く表示されます❷。ギャップが発生した場合は、確実に削除しなければなりません。

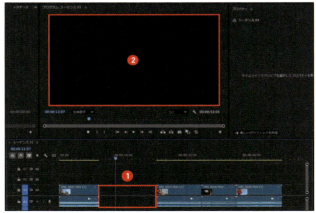

ギャップが発生すると映像が黒く表示される。

ギャップが発生しないようにクリップを削除するには、削除したいクリップを選択し❶、Shift キーを押しながら Delete キーを押します。すると、ギャップを発生させずにクリップを削除することができます❷。なお、トラックの最後に配置したクリップは、ショートカットキーを使わずに削除してもギャップは発生しません。

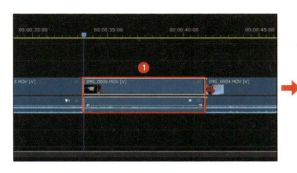 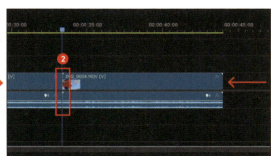

ギャップを発生させずにクリップを削除する。

ギャップを削除する

ギャップが発生してしまった場合は❶、ギャップ部分をクリックすると白い選択状態に変わるので❷、Delete キーを押して削除します❸。また、選択されたギャップ上で右クリックし、「リップル削除」を選択しても削除できます❹。

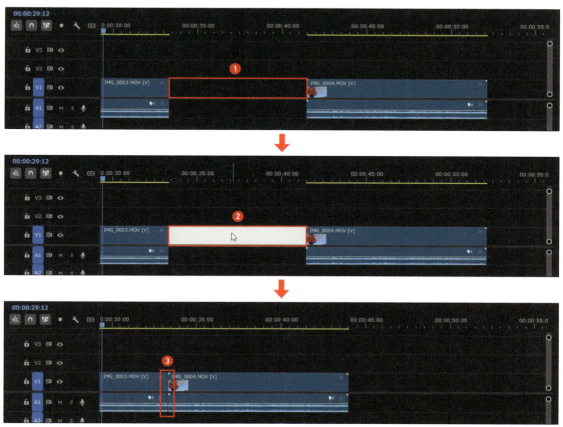

Delete キーを押してギャップを削除する。

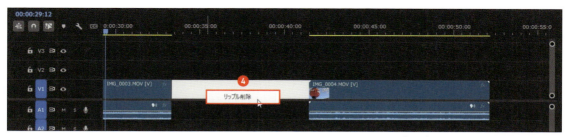

「リップル削除」からもギャップを削除できる。

 ギャップをまとめて削除する

複数のギャップをまとめて削除する場合は、メニューバーから「シーケンス」→「ギャップを詰める」を選択します。すると、シーケンス内のすべてのギャップをまとめて削除することができます。ただし、シーケンスの一番左端にあるギャップは削除できないので、手動で削除してください。

Section 14 クリップをトリミングする

動画編集での「トリミング」には、2つの目的があります。1つは不要な部分をカットし、必要な部分を残すこと。もう1つが、再生時間の調整です。

トリミングとは?

「トリミング」とは、クリップの中から不要な部分を切り取って、必要な長さ（「デュレーション」といいます）の動画だけを残すように調整する作業のことです。略して「トリム」とも呼ばれます。トリミングの基本は、クリップの先端や終端を、「選択」ツールでドラッグすることです。ドラッグする先によって、残される動画の先頭位置、終端位置が決まります。

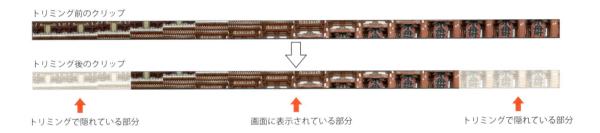

クリップのトリミングには、次の2つの目的があります。

❶必要な部分を残し、不要な部分をカットする
❷クリップのデュレーション（再生時間）を調整する

なお、動画を切り取るといっても、クリップから削除してしまうのではなく、一時的に見えなくするだけです。そのため、いつでも元に戻すことができます。

クリップをトリミングする

それでは、実際にクリップをトリミングしてみましょう。

1 「選択」ツールを選択する

「ツール」パネルで、「選択」ツールをクリックします。選択したツールは、青色のボタンで表示されます。

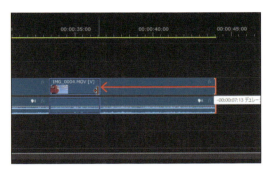

2 クリップの終端をドラッグする

シーケンスに配置したクリップの終端にマウスポインターを合わせ、ドラッグします。ドラッグ中は、マウスポインターのある終端位置のフレーム映像が「プログラムモニター」に表示されます。これを確認して、必要な映像の範囲を確認します。

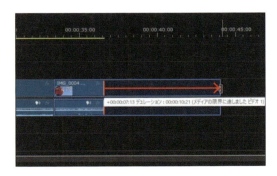

3 クリップの長さが変わる

すると、クリップの長さが変わります。トリミングで変更した終端位置は、再度ドラッグして変更できます。左の画面では、終端位置にマウスポインターを合わせ、右側にドラッグしています。クリップの先頭位置も、同様の方法でトリミングできます。

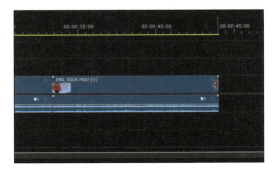

4 終端位置を再度変更する

終端をドラッグして、トリミング前の状態に戻すことができました。

「リップル」ツールによるトリミング

シーケンスに複数のクリップが配置されている場合、トリミングを行うとギャップが発生する場合があります。ギャップはP.50の方法で削除できますが、そもそもギャップを発生させないトリミング方法があります。それが、「リップル」ツールによるトリミングです。

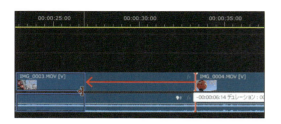

1 クリップをトリミングする

複数のクリップが並んでいる中で、トリミングを行います。画面では、「選択」ツールを利用して先頭から2つ目のクリップの終端をトリミングしています。

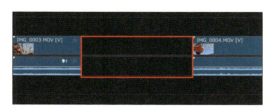

2 ギャップが発生する

トリミングによって、ギャップが発生してしまいました。ギャップはP.50の方法で削除できますが、クリップの数が多くなると面倒です。

3 「リップル」ツールを選択する

「リップル」ツールを利用すると、ギャップを発生させずにトリミングできます。「ツール」パネルで、「リップル」ツールをクリックします。なお、「選択」ツールでトリミングする時に Ctrl キー（macOS: command キー）を押すと、一時的に「リップル」ツールに切り替わります。

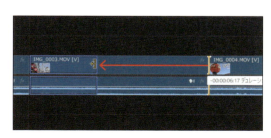

4 「リップル」ツールでトリミングする

「リップル」ツールを選択した状態で、クリップの先端にマウスポインターを合わせます。すると、マウスポインターの色が黄色に変わります。この状態でクリップの先端をドラッグし、トリミングします。

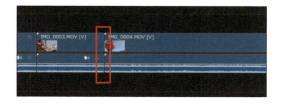

5 ギャップが発生しない

今度はギャップを発生させずに、自動的に空きが詰められました。たくさんのクリップをトリミングする時におすすめの方法です。

知っていると便利なトリミング用ショートカットキー

トリミングでは、不要な部分をカットするという作業が中心になります。この作業を効率的に行えるのが、ショートカットキーの Q キーと W キーです。これらのキーを使うと、編集ラインの前の部分、後の部分のフレームを、ワンキーでカットしてくれます。また、プレビューに便利な J K L キーの使い方もご紹介します。

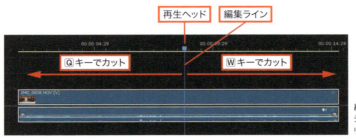

編集ラインを基準に、ショートカットキーでトリミングを行う。

≫ Q キーでトリミングする

Q キーを使ったトリミングは、次のように行います。

1 カット位置を見つける

再生ヘッドをドラッグして、不要な映像と必要な映像の分岐位置を「プログラムモニター」で確認します。

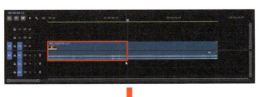

2 Q キーを押す

Q キーを押すと、再生ヘッドから伸びている編集ライン位置より「前の部分」のフレームがカットされ、前に詰められます。

≫ Wキーでトリミングする

Wキーを使ったトリミングは、次のように行います。

1 カット位置を見つける

再生ヘッドをドラッグして、不要な映像と必要な映像の分岐位置を「プログラムモニター」で確認します。

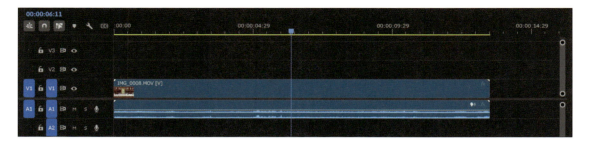

2 Wキーを押す

Wキーを押すと、再生ヘッドから伸びている編集ライン位置より「後の部分」のフレームがカットされます。

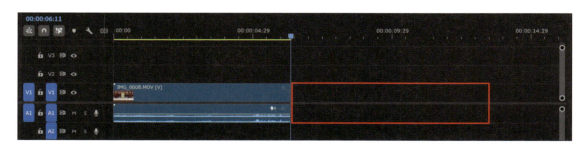

> **TIPS** JKLキーでプレビューする
>
> JKLキーは、編集箇所のプレビューなどに便利なショートカットキーです。合わせて、spaceキーも覚えておきましょう。
>
> ● **再生／停止／巻き戻し**
>
> JKLキー、spaceキーを使うと、プレビュー時の再生、停止、巻き戻しを行うことができます。
> Lキー：再生
> Kキー：停止
> Jキー：巻き戻し
> spaceキー：再生／停止。巻き戻しはできない。
>
> ● **2倍速、3倍速…**
>
> LJキーは、次のような機能も備えています。LJを押す度にドンドン早くなります。長尺な動画も、スピーディに再生できます。
> Lキーを2度押し、3度押し…：2倍速で再生、3倍速で再生…
> Jキーを2度押し、3度押し…：2倍速で巻き戻し、3倍速で巻き戻し…
>
> ● **スローモーションで再生／巻き戻し**
>
> JKLキーでは、フレーム単位での再生も可能です。
> Kを押しながらLを押す：1フレーム再生
> Kを押しながらJを押す：1フレーム巻き戻し
> Kを押しながらLを押し続ける：スローモーションで再生
> Kを押しながらJを押し続ける：スローモーションで巻き戻し

Section 15 トラックを追加／削除する

クリップの配置だけでなく、クリップの合成やタイトル設定、BGMやナレーションの追加などを行っていると、ビデオやオーディオのトラック数が足りなくなってきます。そのような場合は、トラックを追加します。

トラックを追加する

Premiere Proでは、ビデオトラック、オーディオトラックともに、追加できるトラック数に制限はありません。ユーザーが必要な数だけ追加できます。

1 「複数のトラックを追加」を選択する

トラックヘッダーのボタンのない部分で右クリックし❶、表示されたメニューから「複数のトラックを追加」をクリックします❷。

2 追加するトラック数を指定する

「トラックの追加」ダイアログボックスが表示されます。追加したいビデオトラックの数と位置❶、オーディオトラックの数と位置❷を設定し、「OK」をクリックします❸。指定した数のビデオトラックとオーディオトラックが、指定した位置に追加されます。

57

トラックを削除する

不要になったトラックは、シーケンスから削除できます。追加／削除するトラックの数は、ダイアログボックスで指定します。

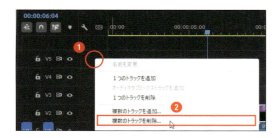

1 「複数のトラックを削除」を選択する

トラックヘッダーのボタンのない部分で右クリックし、表示されたメニューから「複数のトラックを削除」をクリックします。

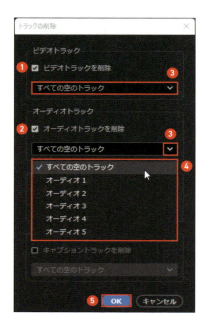

2 削除するトラックを指定する

「ビデオトラックを削除」①、「オーディオトラックを削除」②のチェックをオンにします。次に、ビデオトラックとオーディオトラックの「v」③をクリックしてメニューを表示し、削除するトラックを選択します④。「すべての空のトラック」のほか、削除するトラックを個別に指定することもできます。指定できたら、「OK」をクリックします⑤。

3 トラックが削除される

選択したトラックが削除されます。なお「すべての空のトラック」を削除する場合、デフォルトで表示されていたトラックも、クリップが配置されていない場合は削除されます。

> **TIPS** 「シーケンス」メニューからもトラックの追加／削除ができる

「トラックの追加」「トラックの削除」は、メニューバーの「シーケンス」メニューからも実行できます。

「シーケンス」メニューからトラックの追加／削除を行う。

Chapter

3

Premiere Pro 編

トランジションとエフェクトで動画を演出する

Section 01 トランジションを設定する

再生中のクリップから次のクリップへ映像が突然切り替わると、唐突な印象を与えます。そこで「トランジション」機能を利用すると、特殊な効果によってスムーズな場面転換を演出できます。

トランジションとは?

トランジションは、クリップとクリップ接続している「編集点」に設定する特殊効果です。トランジションを利用すると、映像が切り替わる際の唐突感を和らげてくれます。以下の画面は、「ページピール」というトランジションを設定した例です。

● トランジションを利用しない場合

トランジションを利用しないと、映像が唐突に切り替わる。

● トランジションを利用した場合

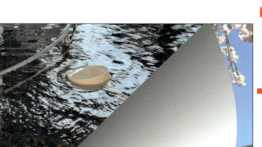

トランジションを利用すると、映像がスムーズに切り替わる。

トランジションを設定する

トランジションは、「エフェクト」パネルで選択したトランジション効果を、クリップとクリップが接合している「編集点」にドラッグ＆ドロップして設定します。ここでは、例として「ページピール」というトランジションを設定してみます。

1 トランジションを選択する

「エフェクト」タブをクリックし①、「ビデオトランジション」②→「ページピール」③→「ページピール」④の順にクリックします。

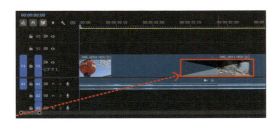

2 トランジションをドラッグ＆ドロップする

選択したトランジションを、シーケンスのトラックに配置したクリップとクリップの間の編集点にドラッグ＆ドロップします。

3 トランジションが設定される

トランジションが設定されます。トランジションの左上には、設定したトランジション名が表示されています。

POINT トリミングしていないクリップにトランジションを設定する

トランジションは、トリミングによって隠れている部分のフレームを利用して設定されます。そのため、トリミングしていないクリップにトランジションを設定すると、「フレームを繰り返して対応します」という旨のメッセージが表示されます。
このようにして設定したトランジションには「警告バー」と呼ばれる縞模様が表示されますが、問題はありません。なお、トリミングしていないクリップの先端と終端には三角のマークが表示されているので、見分けることができます。

警告バーのある設定。

未トリミングなクリップ。

Section 02 トランジションを変更／削除する

設定したトランジションを別のトランジションに変更したり、削除したりする方法について解説します。

トランジションを変更する

クリップの編集点に設定したトランジションを別のトランジションに変更する場合は、既存のトランジションの上に新しいトランジションをドラッグ＆ドロップします。

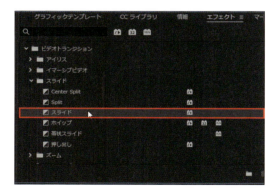

1 トランジションを選択する

「エフェクト」パネルで、新しく利用したいトランジションを選択します。

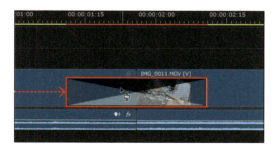

2 既存のトランジションの上にドラッグ＆ドロップする

新しく利用したいトランジションを、すでに設定されているトランジションの上にドラッグ＆ドロップします。

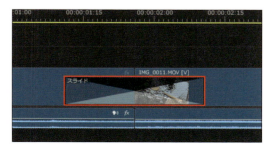

3 トランジションが変更される

これで、トランジションが変更されます。

トランジションを削除する

トランジションを削除する場合は、設定したトランジションをクリックして選択状態にし、Deleteキーを押します。あるいは、トランジション上で右クリックし、表示されたメニューから「消去」を選択しても削除できます。

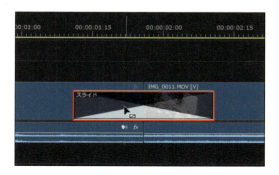

1 トランジションを選択する

削除したいトランジションを、クリックして選択します。

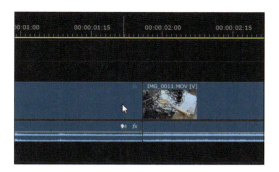

2 トランジションを削除する

Deleteキーを押して、トランジションを削除します。

3 右クリックで削除する

トランジションを右クリックし、「消去」を選択しても削除できます。

操作を取り消す

トランジションを変更してみたけれど、やっぱり前の方がよかった。あるいは、トランジションを削除したけれど、やっぱりあった方がよかった。こうした時には、キーボードのCtrl + Zキー（macOS：command + Zキー）を押すことで、直前の操作を取り消すことができます。続けてCtrl + Zキー（macOS：command + Zキー）を押すと、さらに操作をさかのぼれます。また、「ヒストリー」パネルを利用すると（「ウィンドウ」→「ヒストリー」）、任意の操作を指定して戻ることができます。

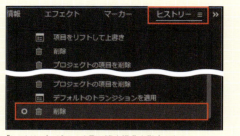

「ヒストリー」パネルから取り消す操作を指定できる。

Section 03 トランジションの表示時間を変更する

シーケンスのクリップに設定されたトランジションは、表示時間が「1秒」に設定されています。この表示時間を調整してみましょう。

シーケンス上でデュレーションを変更する

動画編集では、映像の表示時間のことを「デュレーション」と呼びます。トランジション効果の表示時間、すなわちデュレーションは、デフォルトで「1秒」に設定されています。この時間は、デュレーションの設定を変更することで調整できます。ここでは、シーケンス上でデュレーションを変更する2種類の方法を解説します。

≫ 数値で変更する

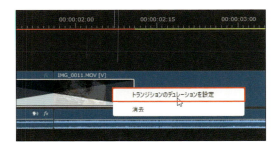

1 トランジションを右クリックする

シーケンスのクリップに設定したトランジションの上で右クリックします。表示されるメニューで、「トランジションのデュレーションを設定」をクリックします。

2 デュレーションを変更する

ダイアログボックスの「デュレーション」で、表示秒数を変更します。たとえばデュレーションを2秒に変更する場合は、「00;00;02;00」に設定します❶。変更したら、「OK」をクリックします❷。

POINT スクラブ操作で数値変更する

「デュレーション」の設定で、選択されていない状態の数値にマウスポインターを合わせると、マウスポインターが指の左右に矢印のある形に変わります。この状態でマウスを左右にドラッグすると、数値を変更できます。この操作方法を「スクラブ」といいます。

スクラブ操作で数値を変更する。

≫ トリミングで変更する

1 トランジションの先端か終端をドラッグする

シーケンスに設定したトランジションの先端または終端にマウスポインターを合わせると、形状が変わります。この状態でマウスをドラッグします。

2 デュレーションが変更される

マウスをドラッグすると、バルーンヘルプにデュレーションが表示されます。左の画面では、元の状態の前後に15フレームを足して、2秒と表示されています。マウスのボタンから指を離すと、トランジションのデュレーションが変更されます。先端か終端のどちらかを変更すると、自動的にもう片方も変更されます。

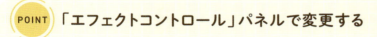

POINT 「エフェクトコントロール」パネルで変更する

デュレーションは、「エフェクトコントロール」パネルでも変更できます。トランジションを選択して「エフェクトコントロール」パネルを表示します。変更方法には、シーケンス上での方法と同じ、次の2種類を利用できます。

❶ 数値による変更
❷ トリミングによる変更

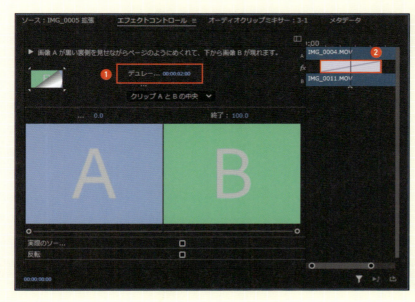

「エフェクトコントロール」パネルでデュレーションの設定を変更する。

Section 04 トランジションをカスタマイズする

シーケンスのクリップに設定したトランジションは、効果をさまざまにカスタマイズできます。利用目的に応じてカスタマイズすることで、より効果的なトランジションを演出できます。

トランジションをカスタマイズする

トランジションのカスタマイズは、「エフェクトコントロール」パネルで行います。「エフェクトコントロール」パネルは、シーケンスに配置したトランジションをクリックして選択し、「エフェクトコントロール」タブをクリックすると表示できます。「エフェクトコントロール」パネルでは、あらかじめ「実際のソース表示」のチェックボックスにチェックを入れておきます。これで、前のクリップ（A）の終端フレームと、次のクリップ（B）の先端フレームのサムネイルが表示されます。このサムネイルを参考に、カスタマイズを行います。カスタマイズできる内容は、利用するトランジションの種類によって異なります。

「実際のソース表示」にチェックを入れる。

≫ 効果の方向を変更する

動きのあるトランジションでは、動きの方向❶を変更できます。また、デュレーション❷も変更できます。

≫ 境界線の色と幅を変更する

「境界の幅」と「境界のカラー」を変更すると、効果をよりはっきりと目立たせることができます。

❶「境界の幅」を変更する
❷「境界のカラー」のカラーボックスをクリックする
❸「カラーピッカー」で色を選ぶ

Ⓐ色を選択する
Ⓑ明るさを選択する
Ⓒ色を確認する
Ⓓ「OK」をクリックする

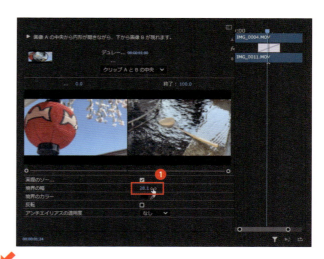

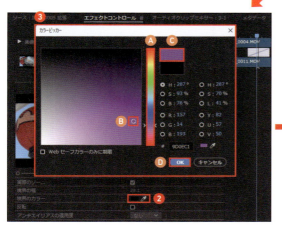

≫ タイミングを変更する

トランジションは、前のクリップ（A）と次のクリップ（B）の編集点に、トランジションの中央が配置されています。「配置」でこの位置を変更することによって、トランジションが開始されるタイミングを変更できます。

Section 05 AIの生成拡張でフレームを生成する

Premiere Pro（ベータ版）に導入された「生成拡張」機能を利用して、ビデオクリップの生成を行ってみましょう。トランジション設定にフレーム数が足りない場合は、シームレスにフレームが追加できます。

生成拡張とは？

AI機能を利用した「生成拡張」を利用すると、クリップの終端にさらに動きのあるフレームを生成してくれます。例えばトランジションを設定する際に、クリップのデュレーションが短くてトリミングができないというケースがあります。このようなとき、生成拡張を利用すると、クリップの先頭や終端にフレームを付け足すことができます。生成されるクリップのデュレーションは、次の長さになります。

- ビデオコンテンツ：最大2秒まで
- オーディオコンテンツ：最大10秒まで

なお、生成拡張機能はクラウドAIモデルを使用するため、インターネットに接続している必要があります。また、ベータ版での生成拡張を利用するには、次のような制限があります。

- ビデオ
  - フレームサイズ：1920 x 1080 または 1280 x 720 の解像度
  - アスペクト比：縦横比 16:9
  - フレームレート：12-30fps
  - 量子化ビット数：8ビット、SDR（Standard Dynamic Range：従来のダイナミックレンジ）

- オーディオ
  - 会話を作成したり拡張したりすることはできない
  - 著作権の関係から、音楽を含むクリップは拡張できない
  - 対象はモノラル、ステレオのみ。5.1chは未対応

生成拡張を実行する

生成拡張を利用して、クリップの終端にフレームを生成してみましょう。

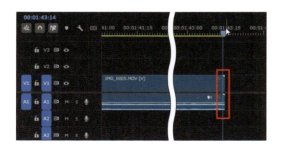

1 クリップを配置する

シーケンスのトラックに、クリップを配置します。クリップの終端はトリミングしていないので、白い△が表示されています。

2 最後のフレームを確認する

このクリップの最後のフレームが「プログラムモニター」に表示されており、ここから先はフレームがないことがわかります。

3 生成拡張ツールを選択する

「ツール」パネルの一番下にある「生成拡張」ツールを選択します。

4 終端をドラッグする

クリップの終端にマウスを合わせ、右にドラッグします。

 POINT 生成延長制限のメッセージ

ビデオクリップを2秒までドラッグすると、左の画面のように「生成延長制限に達しました」と表示されます。これ以上ビデオクリップの生成拡張ができないことを意味しています。

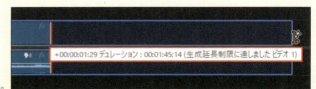

生成延長制限のメッセージが表示された。

5 生成拡張が開始される

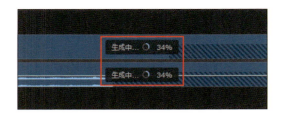

生成拡張が実行されます。クリップに「生成中...」と表示され、進行状況が％で表示されます。

6 生成が完了する

生成が完了すると、追加されたフレーム部分に「AI生成」と表示されます。

7 生成内容を確認する

プレビューで、生成された内容を確認します。生成されたビデオクリップでは、AIがカメラや被写体の動きを分析し、動きのある映像をシームレスに拡張して生成してくれています。

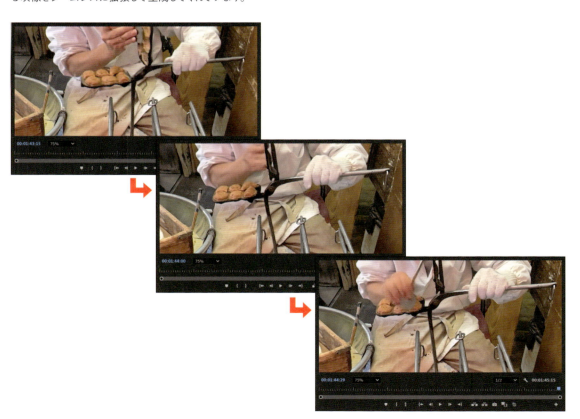

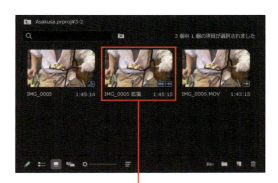

8 別クリップとして保存される

生成されたビデオクリップは、「ファイル名＋拡張」として、元のクリップとは別のクリップとしてビン内に保存されています。左の画面では、「1:43:15」から2秒分が追加された「1:45:15」として保存されています。

POINT 規定外のクリップの場合

原稿執筆時点では、P.68で解説したように利用できるクリップの形式には制限があります。規定外のクリップに対して生成拡張を実行しようとすると、右のような警告メッセージが表示されます。これは、AVCHD形式の動画を利用した場合のエラーです。

規定外のクリップに生成延長を実行しようとすると警告メッセージが表示される。

TIPS 再生成を実行する

生成拡張は、かんたんに再実行できます。生成されたクリップ部分を右クリックし、表示されたメニューから「もう一度生成」を選択すると、再生成が実行されます。生成された動きが気に入らない場合に、新しいバリエーションを作成してくれます。なお、再生成は複数回実行できます。

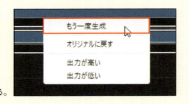

「もう一度生成」から再生成を実行する。

Section 06 フェードイン／フェードアウトを設定する

トランジションをムービーの先頭や最後に適用すると、フェードインやフェードアウトといった効果を設定することができます。

フェードイン／フェードアウトとは？

「フェードイン」は、映像が徐々に表示される効果、「フェードアウト」は、反対に映像が徐々に消えていく効果のことをいいます。ムービーの開始シーンや終了シーンに設定すると効果的です。トランジションを利用すると、この効果をかんたんに設定できます。

≫ フェードイン（白い背景からフェードイン）

白い背景からフェードインして表示される。

≫ フェードアウト（黒い背景にフェードアウト）

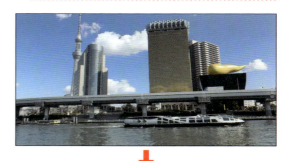

黒い背景にフェードアウトして消えていく。

白い背景からフェードインする

白い背景から映像が徐々に現れてくるという効果は、「物語の始まり」という印象を強く与えます。これを実現するには、トランジションに加えて「カラーマット」を併用します。カラーマットは、単色の画像データです。「白」のカラーマットをシーケンスの先頭に挿入し、カラーマットとクリップの編集点に「クロスディゾルブ」というトランジションを設定することで、フェードインを実現します。

1 カラーマットを作成する

「プロジェクト」パネルの右下にある「新規項目」をクリックします❶。表示されたメニューで、「カラーマット」をクリックします❷。

2 カラーマットの設定を確認する

「新規カラーマット」ダイアログボックスが表示されます。設定内容を確認して、「OK」をクリックします。この設定内容には、シーケンスの設定が反映されています。設定内容を変更する必要はありません。

3 カラーマットの色を選択する

「カラーピッカー」が表示されます。背景に利用したい色として白を選択し❶、「OK」をクリックします❷。

4 カラーマットの名前を設定する

カラーマットの名前を設定するダイアログボックスが表示されます。わかりやすい名前を入力して❶、「OK」をクリックします❷。

5 カラーマットを配置する

「プロジェクト」パネルにカラーマットが登録されます。Ctrlキー（macOS：commandキー）を押しながら、カラーマットのクリップをシーケンスの一番先頭にドラッグ＆ドロップします。カラーマットはイメージクリップなので、デフォルトのラベンダー色で表示されます。挿入したカラーマットは、5秒間の動画クリップとして配置されるので、デュレーションを調整します。

6 カラーマットにトランジションを設定する

ビデオクリップとカラーマットの編集点に、トランジションの「クロスディゾルブ」を配置します。これで、ムービーの最初にフェードインが設定できました。

黒い背景にフェードアウトする

ムービーの最後にフェードアウトを設定すると、映像が徐々に消えながらEndマークが出るなど、「終わり」を強く演出することができます。フェードアウトは、トランジションの「クロスディゾルブ」を利用して設定します。

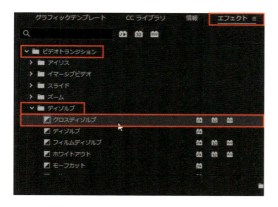

1 クロスディゾルブを選択する

「エフェクト」パネルにある「ビデオトランジション」から、「ディゾルブ」→「クロスディゾルブ」をクリックします。

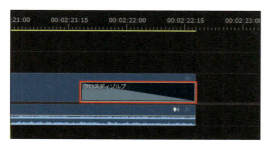

2 クロスディゾルブを適用する

選択した「クロスディゾルブ」を、シーケンスに配置したクリップのうち、一番最後のクリップの終端に設定します。これで、ムービーの最後にフェードアウトが設定できました。必要に応じて、デュレーションを調整します。

Section 07 エフェクトを設定する

クリップ全体に設定する特殊効果のことを、「ビデオエフェクト」や単に「エフェクト」といいます。エフェクトは、「エフェクト」パネルから選択して適用します。

エフェクトとは？

エフェクトは、クリップ全体に特殊効果を設定する機能です。トランジションはクリップとクリップが接合する「編集点」に設定するものでしたが、エフェクトは対象となるクリップ全体に適用されます。設定したエフェクトは、オプションのパラメーターを変更することで効果をカスタマイズできます。

エフェクトの適用方法には2種類ありますので、使いやすい方法を利用してください。以下の画面では、「ビデオエフェクト」の「描画」というカテゴリーにある、「レンズフレア」というエフェクトを設定しています。

エフェクト「レンズフレア」を適用した。

ドラッグ&ドロップでエフェクトを適用する

エフェクトは、「エフェクト」パネルで「ビデオエフェクト」を展開し、選択したエフェクトをシーケンスのクリップ上にドラッグ&ドロップして適用できます。エフェクトによっては、P.78の方法でパラメーターの調整が必要なものがあります。

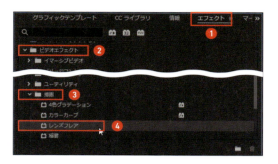

1 エフェクトを選択する

「エフェクト」タブをクリックして❶、「エフェクト」パネルを表示します。「ビデオエフェクト」フォルダーを展開し❷、エフェクトのカテゴリー「描画」を開き❸、利用したいエフェクトを選択します❹。

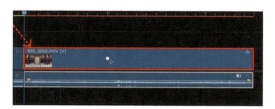

2 エフェクトをドラッグ&ドロップする

選択したエフェクトを、シーケンス上のエフェクトを設定したいクリップの上にドラッグ&ドロップします。エフェクトが適用されると、クリップ左上の「fx」マークが紫色に変わります。

ダブルクリックでエフェクトを適用する

エフェクトを設定するクリップを事前に選択しておき、利用したいエフェクトをダブルクリックして適用する方法もあります。複数のクリップに一度にエフェクトを適用したい場合は、こちらの方法が便利です。

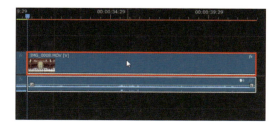

1 エフェクトを選択する

シーケンスに配置したクリップから、エフェクトを適用したいクリップを選択しておきます。複数のクリップにエフェクトを適用する場合は、Shiftキーを押しながらクリップを順にクリックして選択します。

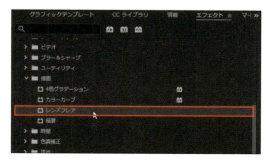

2 エフェクトをダブルクリックする

「エフェクト」パネルで、利用したいエフェクトをダブルクリックします。手順1で選択したクリップに、エフェクトが適用されます。

エフェクトの設定例

以下に、エフェクトの設定例を提示します。

「イメージコントロール」→「モノクロ」

「ユーティリティ」→「Cineonコンバーター」

「チャンネル」→「反転」

「ノイズ&グレイン」→「ノイズ」

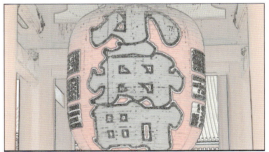
「スタイライズ」→「輪郭検出」

「スタイライズ」→「モザイク」

「ブラー&シャープ」→「ブラー(ガウス)」

「ディストーション」→「タービュレントディスプレイス」

Section 08 エフェクトを調整する

エフェクトは、「エフェクトコントロール」パネルでパラメーターを調整することで、その効果を高めることができます。

エフェクトのオプションを調整する

エフェクトには効果のオプションがあり、「エフェクトコントロール」パネルで設定できます。オプションのパラメーターを調整することで、エフェクトを効果的に活用することができます。

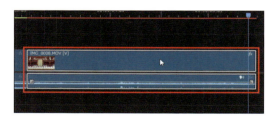

1 クリップを選択する

エフェクトを設定したクリップを、シーケンス上で選択します。選択したクリップは、白い枠で囲まれて表示されます。

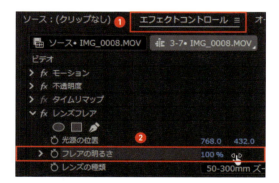

2 オプションとパラメーターを表示する

「エフェクトコントロール」パネルを表示し❶、クリップに適用したエフェクトが追加されていることを確認します。エフェクト名の先頭にある「>」をクリックして展開し、各オプションのパラメーターを表示します❷。左の画面は、エフェクト「レンズフレア」の「フレアの明るさ」というパラメーターを表示した状態です。

3 パラメーターを調整する

「フレアの明るさ」のスライダーをドラッグして、数値を調整します。数値を大きくすると、明るさが増します。

エフェクトの効果をオン／オフする

エフェクトの効果は、オン／オフを切り替えることができます。エフェクト名の先頭にある「fx」をクリックすると、「fx」の文字に斜線が表示されてエフェクトが一時的にオフになります。エフェクトを一時的にオフにすると、エフェクトの設定前と設定後の違いを確認することができます。再度クリックすると、エフェクトがオンに戻ります。

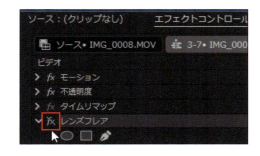

エフェクトのパラメーターを変更前の初期状態に戻すには、リセットボタンを利用します。設定したエフェクト名の右側にある渦巻き型の「エフェクトをリセット」をクリックすると、パラメーターの設定が初期状態に戻ります。

エフェクトを削除する

設定したエフェクトを削除したい場合は、「エフェクトコントロール」パネルで削除したいエフェクト名を右クリックし❶、メニューから「消去」をクリックします❷。またエフェクト名をクリックして選択し、Delete キーを押して削除することもできます。

POINT 「エフェクト」ワークスペースの利用

ワークスペースのメニューにある「エフェクト」を利用すると、「プログラムモニター」の右側に「エフェクト」パネルが表示され、操作がしやすくなります。

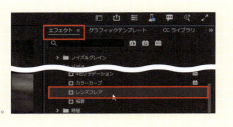

「エフェクト」パネルからエフェクトを設定できる。

Section 09 エフェクトを複数設定する

Premiere Proでは、複数のエフェクトを重ねて利用することができます。ここでは、複数のエフェクトの設定方法と、利用時のポイントについて解説します。

エフェクトを重ねて利用する

1つのエフェクトを設定したクリップに別のエフェクトを設定すると、複数のエフェクトが相乗効果となり、単独のエフェクトとは別の効果を発揮します。

1 モノクロを設定する

エフェクト(「イメージコントロール」→「モノクロ」)を利用して、クリップをモノクロに設定します。

2 レンズフレアを設定する

モノクロを設定したクリップに、「ビデオエフェクト」→「描画」→「レンズフレア」を設定します。必要に応じて、オプションのパラメーターを調整します。

エフェクトの順番を入れ替える

複数のエフェクトを設定したクリップの「エフェクトコントロール」パネルを表示すると、設定したエフェクトが、上から「モノクロ」「レンズフレア」と順に配置されています。この順番を入れ替えてみましょう。なお、「プログラムモニター」では、モノクロ映像の上に「レンズフレア」が表示されています。このように、「エフェクトコントロール」パネルと「プログラムモニター」では逆の表示になるので注意が必要です。

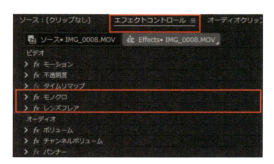

1 配置順を確認する

「エフェクトコントロール」パネルを表示し、エフェクトの配置順を確認します。画面では、「モノクロ」の下に「レンズフレア」が配置されていることが確認できます。

2 順番を入れ替える

「モノクロ」の上に「レンズフレア」をドラッグ&ドロップします。このとき、移動先には青いラインが表示されます。

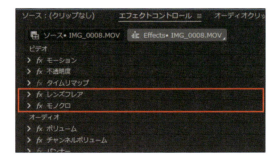

3 配置順が入れ替わる

エフェクトの配置順が入れ替わりました。

4 効果が変わる

エフェクトの順番を入れ替えたことで、表示される効果も変わります。画面では、レンズフレアの色がなくなりました。

Section 10 エフェクトをアニメーションさせる

クリップに設定するエフェクトは、時間の経過に応じてエフェクトの影響を変化させることができます。つまり、エフェクトの効果の具合をアニメーションできるということです。

エフェクトの効果をアニメーションさせる

クリップに設定したエフェクトは、キーフレームを利用することでアニメーションさせることができます。以下の画面は、「レンズフレア」というビデオエフェクトのオプションを利用して、光源をアニメーションさせたものです。

なお、アニメーション作成に重要な要素を「アニメーション作成のための5つのポイント」として筆者から提案しています。このポイントを抑えれば、必ずアニメーションが作成できます。詳しくはP.213を参照してください。

光源のアニメーションが開始される位置。

光源が移動する。

光源の明るさが増す。

光源が消える。

光源の位置をアニメーションさせる

クリップに適用したエフェクト「レンズフレア」に対して、光源が移動するアニメーションを設定してみましょう。

1 エフェクトを設定したクリップを選択する

エフェクト「レンズフレア」を設定したクリップをクリックして選択します。

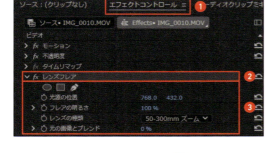

2 エフェクトを確認する

「エフェクトコントロール」パネルを表示し❶、設定したエフェクト「レンズフレア」を確認します❷。オプションが表示されていない場合は、「レンズフレア」の先頭にある「>」をクリックしてパラメーターを表示します❸。

3 開始位置を設定する

「エフェクトコントロール」パネルにもタイムライン領域があるので、ここにある再生ヘッドを、タイムラインの左側にドラッグして合わせます❶。この位置が、アニメーションの開始時間になります。プレビュー画面を見ながら「光源の位置」のパラメーターを変更して、光源が移動を開始するスタート位置を決定します❷。

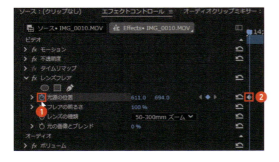

4 アニメーションをオンにする

「レンズフレア」のパラメーターのうち、「光源の位置」の左側にあるストップウォッチをクリックします❶。ストップウォッチをオンにすると青く表示され、エフェクトのアニメーションが実行されるようになります。同時に、タイムラインの再生ヘッドのある位置に「キーフレーム」が設定されます❷。

83

5 再生ヘッドを終了時間に移動する

タイムラインの再生ヘッドを、右側にドラッグして移動します。この位置が、アニメーションの終了時間になります。

6 終了位置を設定する

「光源の位置」のパラメーターを変更し、光源の終了位置を決定します❶。この時、再生ヘッドの位置にキーフレームが自動的に設定されます❷。なお、キーフレームは「◇」(キーフレームの追加／削除) ボタンをクリックしても追加／削除できます。

7 アニメーションを確認する

「プログラムモニター」で再生し、光源が移動するアニメーションを確認します。

フレアの明るさをアニメーションさせる

「光源の位置」に加えて、「フレアの明るさ」(光源の明るさを変更するオプション) を利用して、光源が明るくなってから消えるアニメーションを設定してみましょう。

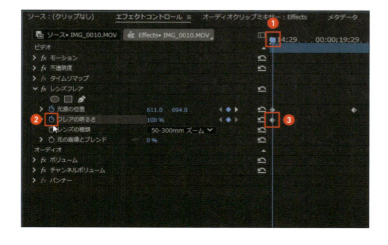

1 「フレアの明るさ」のキーフレームを設定する

「光源の位置」で設定したアニメーション開始キーフレームと同じ位置に、再生ヘッドを移動します❶。「フレアの明るさ」のストップウォッチをクリックします❷。キーフレームが設定されます❸。

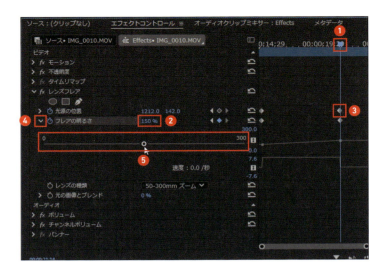

2 2つ目のキーフレームを設定する

「光源の位置」の終了位置にあるキーフレームと同じ位置に再生ヘッドを移動して❶、「フレアの明るさ」のパラメーターを調整します。明るさを明るくする（150%）❷と、キーフレームが自動的に設定されます❸。なお、オプション名の頭にある「>」をクリックすると❹、スライダーが表示され❺、これで値を調整することもできます。

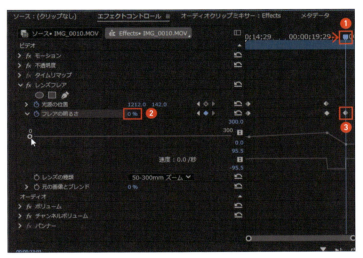

3 3つ目のキーフレームを設定する

再生ヘッドを少しだけ右に移動して❶、「フレアの明るさ」のパラメーターを「0%」に設定すると❷、キーフレームが自動的に設定されます❸。これで光源が消えます。アニメーションを確認してみましょう。

POINT キーフレームについて

「キーフレーム」とは、アニメーションを開始／停止するマークを設定したフレームという意味です。タイムライン左側のキーフレームがアニメーションを開始するフレーム、右側のキーフレームがアニメーションを停止するフレームになります。パラメーターの画面にある「◇」（キーフレームの追加／削除）ボタンをクリックすると、手動でキーフレームの追加や削除ができます。

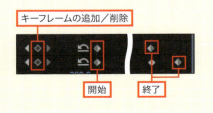

Section 11 「プロパティ」パネルを活用する

Premiere Pro 2025では、「プロパティ」パネルが利用できるようになりました。これにより「エフェクトコントロール」パネルにある機能の一部を、「プロパティ」パネルで操作することができます。

「スケール」を調整する

「プロパティ」パネルにある「トランスフォーム」の「スケール」は、フレームサイズを拡大／縮小できる「デフォルトエフェクト」と呼ばれるタイプのエフェクトです。この「スケール」を調整してみましょう。

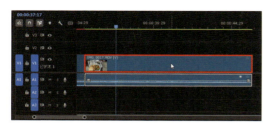

1 クリップを選択する

サイズを調整したいクリップを選択します。

2 スケールサイズを調整する①

「プロパティ」パネルの「トランスフォーム」→「スケール」を選択します。

3 スケールサイズを調整する②

「スケール」の数値を50%に変更します。

POINT デフォルトエフェクトについて

ビデオクリップには、最初から「モーション」「不透明度」「タイムリマップ」という3つのエフェクトが設定されています。これらのエフェクトは「デフォルトエフェクト」と呼ばれ、「エフェクトコントロール」パネルから削除することはできません。同じようにオーディオクリップにも、「ボリューム」「チャンネルボリューム」「パンナー」という3つのデフォルトエフェクトが設定されています。

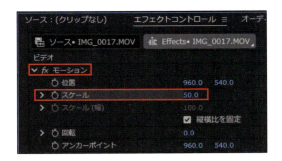

4 「モーション」の「スケール」と連動している

「エフェクトコントロール」パネルの「モーション」→「スケール」とも連動していて、数値が自動的に変更されます。

POINT 他のクリップと合成する

「プロパティ」パネルを利用することで、他のクリップとの合成もかんたんに行えます。例えば、「V1」トラックに別のクリップを配置し、「V2」トラックにスケールを変更したクリップを配置します。このとき、「プロパティ」パネルの「位置」の値を修正すると、簡単にピクチャー・イン・ピクチャーが実現できます。

「V2」トラックのクリップのスケールを変更すると…

「V1」トラックのクリップと合成される。

「位置」のパラメーターを調整する。

「クロップ」を利用する

「クロップ」は、これまでビデオエフェクトの 1 つのエフェクトでしたが、Premiere Pro 2025 から「エフェクトコントロール」パネルに組み込まれ、「切り抜き」として搭載されるようになりました。「切り抜き」は「プロパティ」パネルには「クロップ」として搭載されているので、ここでも利用できます。

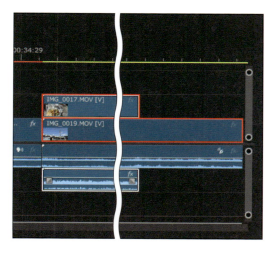

1 クリップを配置／選択する

「V1」トラック、「V2」トラックにクリップを配置します。「V2」には、これからクロップするクリップを配置してください。配置したら、「V2」のクリップを選択します。

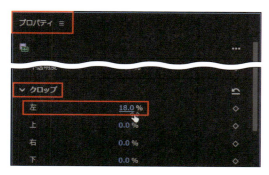

2 クロップの「左」を調整

「プロパティ」パネルの「クロップ」にある「左」の数値を変更します。これで、切り抜きが実行されます。

3 他のオプションも調整する

必要に応じて、「上」や「右」、「下」の数値も調整します。調整ができたら、仕上げに「位置」を調整すれば完成です。もちろん、「スケール」も調整可能です。

「位置」を調整する。

「スケール」を調整する。

Section 12 マスク&トラックを設定する

マスクを利用したエフェクト、「マスク&トラック」を利用してみましょう。この機能を使うと、たとえば動く被写体の一部にモザイクを設定し、設定した部分を追尾することができます。

マスク&トラックとは?

「マスク&トラック」は、映像の一部にマスクを設定し、その部分にエフェクトをかける機能です。映像の動きに合わせてエフェクトを設定した部分が自動的に移動します。これをトラック機能(トラッキング)と呼び、マスク機能と合わせて「マスク&トラック」と呼ばれています。
例えば、移動する車のナンバーにモザイクを設定すると、車の移動に応じてモザイク部分も移動するエフェクトを設定できます。ここでは、川を下る水上バスにモザイクを設定し、これをトラッキングしてみました。なお、マスクは1画面の中に複数箇所設定することができます。

● マスク設定前

● マスク設定後

水上バスの移動に合わせて「モザイク」部分も移動する。

「モザイク」のマスク領域を設定する

「マスク&トラック」の利用では、クリップにエフェクトの「モザイク」を設定する操作から始めます。

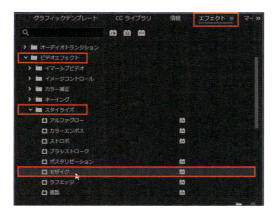

1 クリップとエフェクトを選択する

シーケンスでエフェクトを設定するクリップをクリックし、選択状態にします。ここではモザイクを利用したいので、「エフェクト」パネルで「ビデオエフェクト」→「スタイライズ」の順にクリックし、「モザイク」を選択します。

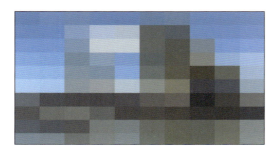

2 モザイクを設定する

エフェクトをダブルクリックするかドラッグ&ドロップして、エフェクトを設定します。モザイクの大きさや領域は指定していないので、この時点ではフレーム全体にモザイクが設定されています。

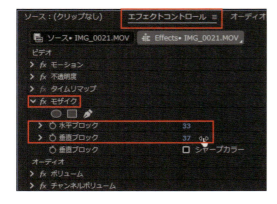

3 ブロックのサイズを調整する

「エフェクトコントロール」パネルで、「モザイク」オプションにある「水平ブロック」と「垂直ブロック」の数値を変更し、モザイクを構成するブロックのサイズを調整します。ここではそれぞれの数値を大きくして、モザイクのブロックのサイズを小さくしています。

4 ブロックサイズが調整された

モザイクのブロックのサイズが調整されました。

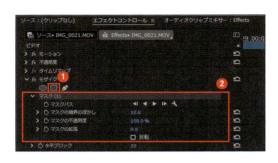

5 マスクのタイプを選択する

「エフェクトコントロール」パネルの「モザイク」オプションで、マスクのタイプを選択します。例えば長方形で領域を設定したい場合は、「4点の長方形マスクの作成」をクリックします❶。すると、「マスク（1）」というオプションが追加表示されます❷。

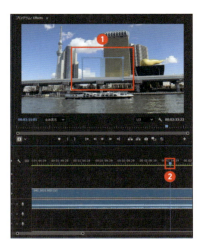

6 マスク領域が表示される

「プログラムモニター」の中央に、四角形でマスク領域が表示されます❶。マスクしたい映像が表示されるところまで、再生ヘッドをドラッグします❷。この段階では、マスクの表示枠内にマスクしたい映像が合っていなくてもかまいません。

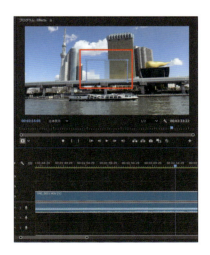

7 マスクの表示位置を調整する

マスクの領域内をドラッグすると、マスクの表示位置を調整できます。モザイクをかけたい位置に合わせます。

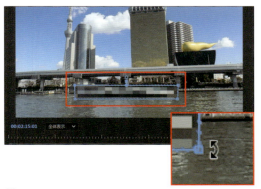

8 マスク領域のサイズを調整する

マスクの四隅にある□のマーカーをドラッグすると、マスク領域のサイズを変更できます。また、マーカーにマウスポインターを合わせた際、マウスの形が円弧型に変わったところでドラッグすると、マスク領域を回転させることができます。

トラッキングを実行する

マスク領域の設定ができたら、続いてトラッキングを実行します。トラッキングによって、被写体の移動に応じて、設定したマスク領域も自動的に移動するように設定されます。クリップの途中からトラッキングを行う場合、時間が進む方向（順方向）と、反対に戻る方向（逆方向）の、両方へのトラッキングが可能です。

≫ 順方向トラッキング

最初に、先へ進む順方向トラッキングを実行してみましょう。トラッキングでは、開始後途中で一時停止してマスクの位置を調整し、再開してトラッキングを進めることができます。

1 トラッキングの開始位置を確認する

シーケンスまたは「プログラムモニター」で、トラッキングを開始する再生位置を確認します。左の画面では、マスクを設定したクリップの先頭から3分の2程度の位置に再生ヘッドが配置されています。

2 トラッキングを選択する

「エフェクトコントロール」パネルを表示し、「モザイク」の「マスク（1）」の「マスクパス」で、「選択したマスクを順方向にトラック」をクリックします。

3 トラッキングが開始される

トラッキングが開始されます。「トラッキング」ダイアログボックスが表示され、「エフェクトコントロール」パネルのタイムラインには、キーフレームが自動的に設定されます。また「プログラムモニター」では、映像の動きに応じてマスク領域も移動しています。「トラッキング」ダイアログボックスの「停止」をクリックすると、トラッキングが一時停止されます。

≫ 逆方向トラッキング

順方向のトラッキングが終了したら、トラッキングを開始した最初の位置に再生ヘッドを戻し、今度は逆方向へのトラッキングを行います。

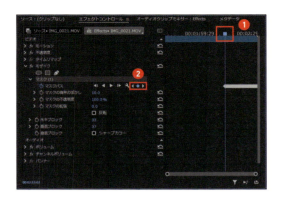

1 再生ヘッドを移動する

トラッキングを開始した最初のキーフレームに、再生ヘッドを合わせます❶。キーフレームへの移動ボタン「<」「>」❷を利用すると、スムーズに合わせられます。

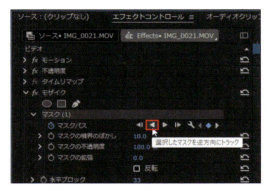

2 逆方向にトラックする

「エフェクトコントロール」パネルで、「モザイク」の「マスク(1)」の「マスクパス」で、「選択したマスクを逆方向にトラック」をクリックします。

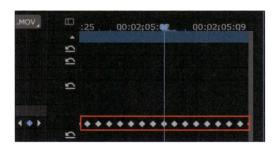

3 キーフレームを確認する

タイムラインのズームスライダーを操作してズームインすると、トラッキングを実行した「エフェクトコントロール」パネルのタイムラインに、1フレームごとにアニメーション用キーフレームが設定されていることがわかります。トラッキングが終了したら、クリップを再生してマスク&トラックの効果を確認します。

TIPS マスクの削除

設定したマスクを削除する場合は、「マスク(1)」などのマスク名を選択し、Deleteキーを押してください。設定したマスクを削除できます。

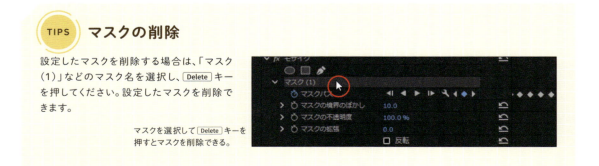

マスクを選択してDeleteキーを押すとマスクを削除できる。

複数のエフェクトとマスクを設定する

1つのフレーム内には、複数のエフェクトと複数のマスクを設定できます。以下の画面では、1つのクリップに「モザイク」と「ブラー（ガウス）」という2種類のエフェクトを設定し、さらに、それぞれ2カ所にマスクを乗せています。もちろん、それぞれ個別にトラッキングを設定できます。

エフェクトとマスクの設定前。

エフェクトとマスクの設定後。

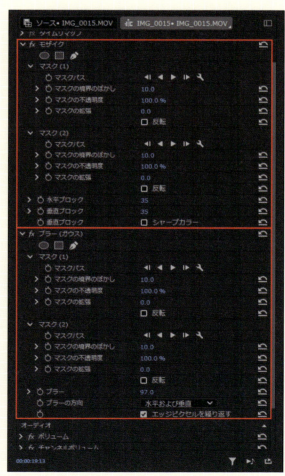

「エフェクトコントロール」パネル

Section 13

マスク機能を利用して合成する

エフェクトのマスク機能を利用すると、メインとなる映像をくり抜いた形の合成ができます。くり抜いた形の境界をぼかしたり、透明度をアニメーションすることなどができます。

エフェクトのマスク機能による合成

Premiere Proの多くのエフェクトには、マスク機能が搭載されています。エフェクトのマスク機能を利用すると、映像の合成をとてもスムーズに行うことができます。例えばデフォルトエフェクトの「不透明度」のマスク機能を利用すると、以下の画面のような合成がかんたんにできます。左は鋭角な境界で切り抜いたように合成したもので、右は境界をぼかして合成したものです。

● はっきりとした境界で合成

● ぼかした境界で合成

エフェクトのマスク機能で2つの映像を合成した。

はっきりとした境界で切り抜いて合成する

最初に、マスクで指定した範囲の境界をぼかさずに合成する方法を解説します。

1 クリップを配置する

シーケンスにクリップを配置します。この時、マスクを設定しないクリップは「V1」トラックに配置し❶、マスクを設定するクリップは「V2」トラックに配置します❷。

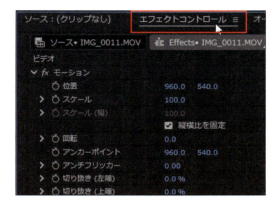

2 「エフェクトコントロール」パネルを表示する

「V2」トラックに配置したクリップを選択し、「エフェクトコントロール」パネルを表示します。

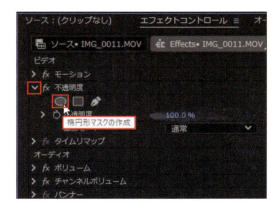

3 楕円形マスクを作成する

デフォルトエフェクトの「不透明度」の「>」をクリックしてオプションを表示し、「楕円形マスクの作成」をクリックします。不要なオプションは閉じてかまいません。

4 楕円形マスクが表示された

「プログラムモニター」に、楕円形のマスクが表示されます。マスクを設定したクリップが、マスクの形で切り抜かれた状態で表示されます。

5 楕円形マスクを調整する

マスクの周囲にある□のハンドルをドラッグして、マスクの形を調整します。

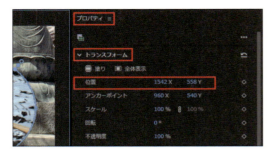

6 「プロパティ」パネルで調整する

「プロパティ」パネルの「トランスフォーム」→「位置」を利用し、マスク内の映像の表示位置を調整します。

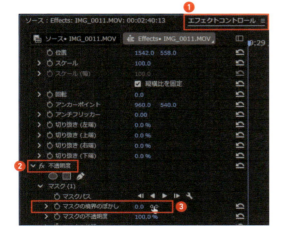

7 「マスクの境界のぼかし」を調整する

「エフェクトコントロール」パネル❶の「不透明度」❷に設定されたマスクは、オプションの「マスクの境界のぼかし」を「0.0」に設定すると❸、境界がはっきりと表示されます。

POINT　マスクを反転する

「マスク」のオプションの「マスクの拡張」にある「反転」のチェックボックスをオンにすると、マスクを設定していないクリップとマスクを設定したクリップが入れ替わります。

マスクの対象となるクリップを入れ替えた。

マスクの境界をぼかして合成する

マスクの設定ができたら、マスクの境界をぼかしてみましょう。

1 マスクの境界線を設定する

「マスク」のオプションの「マスクの境界のぼかし」の「＞」をクリックし❶、パラメーターを表示します。「マスクの境界のぼかし」のスライダーを右にドラッグします❷。

2 ぼかしを設定する

マスクの境界にぼかしが設定されます。好みのぼかし具合になるよう、スライダーを調整してください。

Section 14 特定の色を別の色に変更する

ある特定の色を別の色に変更したい場合は、「Lumetriカラー」にある「カーブ」を利用すると、好みの色にかんたんに変更できます。この場合、色相を変化させて色を変更します。

色相・明度・彩度とは？

色を作り出すための3大要素は「色相・明度・彩度」です。それぞれ、次のような属性を持っています。

- **色相**：赤、青、緑などの色合い、色の性質
- **明度**：色の明るさ
- **彩度**：色の鮮やかさ

このうち、色を変更する場合は「色相」を利用します。

画面内の色相を変更した。

色相で色を変更する

「Lumetriカラー」の「カーブ」を利用して、色相を変化させてみます。

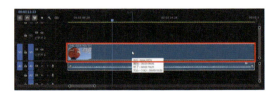

1 クリップを選択する

シーケンスで、色を変更したいクリップを選択します。

2 「Lumetriカラー」パネルを表示する

画面右上の「ワークスペース」から、「カラー」をクリックします❶。画面右側に、「Lumetriカラー」パネルが表示されます❷。「Lumetriカラー」パネルは、カラー関連の調整を行うための専用パネルです。なお、ワークスペースが「編集」のままでも、メニューバーから「ウィンドウ」→「Lumetriカラー」を選択すればパネルを表示できます。

3 「Lumetriカラー」の「カーブ」を選択する

「Lumetriカラー」パネルの「カーブ」をクリックし、カーブのパネルを表示します。

4 「色相VS色相」を選択する

「色相／彩度カーブ」にある「色相vs色相」のスポイトをクリックします。

5 変更したい色を選択する

「プログラムモニター」に表示されている映像で、変更したい色の部分をクリックします。

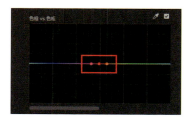

6 ポイントが表示される

カーブのライン上に、3つのポイントが表示されます。

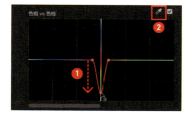

7 ポイントを移動する

3つのポイントのうち、中央のポイントを上下にドラッグします❶。なお、「カーブ」など機能名の右側にあるチェックマークをクリックしてオフにすると❷、設定前の状態で表示されます。

8 色が変更される

色が変更されました。

 POINT 明るさ・コントラストの調整

「Lumetriカラー」パネルの「基本補正」では、「ホワイトバランス」の調整のほか、「露光量」で明るさ（明度）の調整、コントラストの調整、「シャドウ」や白、黒のレベルの調整などができます。

「Lumetriカラー」パネルの「基本補正」でもさまざまな調整ができる。

Chapter

4

Premiere Pro 編

タイトルとキャプションを作成する

Section 01 メインタイトルを作成する

動画にとって、タイトルはとても重要な要素です。ワークスペースの「キャプションとグラフィック」を利用して、プレーンなメインタイトルを作成してみましょう。

プレーンなタイトル（テロップ）の作成

動画編集では、タイトルなどを作成することを「テロップ入れ」といいます。このとき、ワークスペースの「キャプションとグラフィック」を利用して作業を行うと、効率よくテロップが作成できます。

プレーンなメインタイトルを作成する。

テロップを作成するときは、右上の「ワークスペース」①からワークスペースを「キャプションとグラフィック」②に切り替えます。すると、「ツール」パネルが「プログラムモニター」の左側に移動し③、作業がしやすくなります。

ワークスペースを「キャプションとグラフィック」に切り替えた。

タイトルを入力する

「ツール」パネルに用意されている「文字」ツールには、横書き用と縦書き用があります。どちらかのツールを利用して、タイトルの文字を入力します。

1 タイトルの挿入位置を見つける

シーケンスの再生ヘッドをドラッグし❶、「プログラムモニター」で映像を確認しながら❷、メインタイトルを挿入したいフレーム位置を見つけます。

2 「文字」ツールを選択する

「ツール」パネルで「文字」ツールを選択します。ツールアイコンを長押しするとメニューが表示され、横書き、縦書きを選択できます。

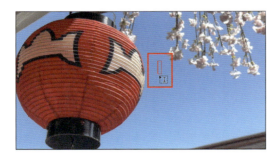

3 モニター画面をクリックする

ツールを選んだら、「プログラムモニター」上のテキストを入力したい位置でクリックします。クリックした位置でカーソルが点滅し、文字入力モードになります。

105

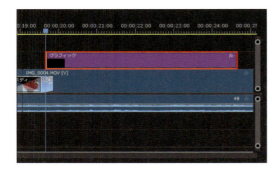

4 タイトルクリップが配置される

同時に、シーケンスのタイムラインに「グラフィック」というタイトルクリップが自動的に配置されます。

5 テキストを入力する

タイトルのテキストをキーボードから入力します。

サブタイトルを入力する

メインタイトルと同様に、サブタイトルも入力します。「プログラムモニター」のサブタイトルを入力したい位置でクリックし、テキストを入力します。

1 モニター画面をクリックする

「文字」ツールを選択し、「プログラムモニター」のサブタイトルを入力したい位置でクリックします。クリックした位置でカーソルが点滅し、文字入力モードになります。

2 テキストを入力する

テキストを入力します。テキストが「プログラムモニター」に表示されます。なお、先に入力したメインのテキストとは連携していませんが、トラック上のクリップは1つで、この中にメインのテキストとサブのテキストが一緒に入っています。

POINT 複数のタイトルクリップを作成

メインタイトル、サブタイトルをそれぞれ別のクリップとして作成することもできます。サブタイトルを作成する際、クリップの選択を解除してからテキストを入力すると、別トラックにタイトルクリップが作成されます。

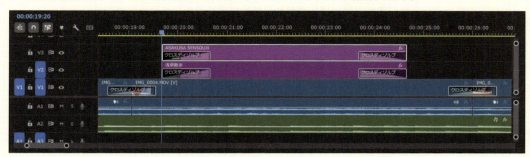

「V2」トラックがメインタイトル、「V3」トラックがサブタイトルのクリップ。

POINT 文字入力モードを解除する

テキストを入力するモードで「プログラムモニター」上のほかの位置をクリックすると、その位置で新しく文字が入力できる状態になります。文字を入力する必要がない場合は、シーケンスのトラックのない部分をクリックするか、「ツール」パネルのほかのツールを選択してテキスト入力のモードを解除します。解除すると、シーケンスのタイトルクリップの白枠が非表示になります。

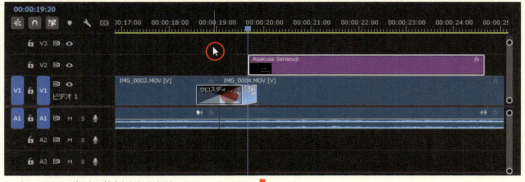

シーケンスのクリップのない部分をクリックすると…

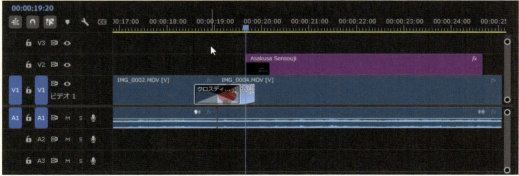

入力モードが削除され、クリップの白枠がなくなる。

Section 02 タイトルをカスタマイズする

「プログラムモニター」に入力したテキストをカスタマイズしましょう。文字サイズやフォント、文字色や影などのデザイン処理を行い、タイトルを作成します。

Premiere Pro のデザイン機能で仕上げる

「文字」ツールで「プログラムモニター」に入力したテキストは、「プロパティ」パネルを利用してデザインし、メインタイトルとして仕上げます。

「プロパティ」パネルでタイトルをデザインする。

テキストをデザイン処理するには、テキストを入力した時の入力モードから、選択モードに切り替える必要があります。テキストを入力した直後は、テキストに赤い枠が表示されている入力モードの状態です。「ツール」パネルの「選択」ツールをクリックすると、テキストが選択モードに切り替わります。このとき、テキストには「バウンディングボックス」と呼ばれる□のハンドルが付いた青い枠が表示されます。

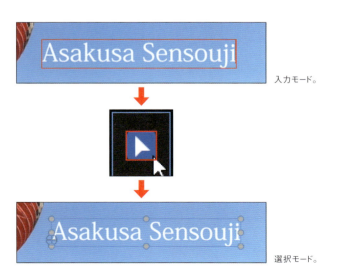

入力モード。

選択モード。

「プロパティ」パネルの機能

テキストの「プロパティ」パネルは、次のような機能で構成されています。それぞれのオプションは、❶のレイヤーを選択して表示します。

≫ テキスト選択状態での表示

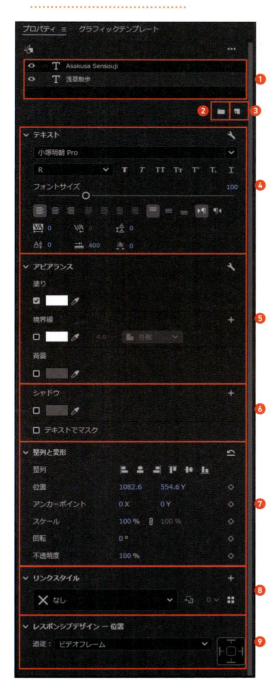

❶ **レイヤー**
入力したテキストが、レイヤーで表示されます。

❷ **「グループを作成」ボタン**
複数のレイヤーを1つのグループにまとめます。

❸ **「新規レイヤー」ボタン**
新規にレイヤーを作成します。

❹ **テキスト**
フォント、サイズ、文字揃え、字間、行間などを設定できます。

❺ **アピアランス**
文字色、縁取り、影などを設定できます。また、背景に長方形を表示したり、テキストをマスクとしても利用できます。

❻ **シャドウ**
ドロップシャドウなどを設定する場合、オプションを表示して設定します。

❼ **整列と変形**
選択したレイヤーの表示位置、整列方法などを設定できます。

❽ **リンクスタイル**
テキストに設定したデザインをテンプレートとして保存したり、保存したテンプレートを利用してすばやくテキストをデザインできます。

❾ **レスポンシブデザイン ー 位置**
他のレイヤーとモーション連携させる場合に、どのレイヤーのどの位置に関連づけるかを設定できます。

≫ テキストを選択していない状態での表示

❿ **トランスフォーム**
テキストの表示位置、文字サイズなどを数値で設定できます。

⓫ **レスポンシブデザイン ー 時間**
ロールタイトル作成時に、動きなどを設定できます。

テキストの表示位置・フォントサイズを変更する

テキストを表示させたい位置に移動し、フォントのサイズを調整してみましょう。

1 レイヤーを選択する

「プロパティ」パネルで、表示位置を調整したいテキストのレイヤーを選択します❶。「整列と変形」にある「水平方向に中央揃え」❷や「垂直方向に中央揃え」❸をクリックすると、画面の中央にテキストが配置されます。

なお、「プロパティ」パネルにレイヤーが表示されてない場合は、シーケンスでテキストが入力されているクリップを選択してください。

2 テキストをドラッグする

テキストを任意の位置に配置したい場合は、テキストを選択して、表示したい位置にドラッグします。テキストが赤枠で囲まれている場合は、「ツール」パネルで「選択」ツールを選び、テキストを選択モードに切り替え、青い線の「バウンディングボックス」の表示にします。これで、テキストに対してデザイン処理を設定できるようになります。

3 フォントサイズを変更する

「プロパティ」パネルの「テキスト」にある「フォントサイズ」で値を変更するか❶、スライダーをドラッグしてサイズを変更します❷。

4 テキストのサイズが変わる

値を変更すると、テキストのサイズが変わります。必要に応じて、テキストの表示位置を調整します。

テキストの文字色を変更する

テキストの文字色は、「プロパティ」パネルにある「アピアランス」の「塗り」で変更します。デフォルトでは、「白」で表示するように設定されています。

1 レイヤーを選択する

文字色を変更したいテキストのレイヤーを選択します。「プログラムモニター」上のテキストも、選択状態になります。

2 「カラーピッカー」を表示する

「アピアランス」にある「塗り」のカラーボックスをクリックして、「カラーピッカー」を表示します。

3 色が設定される

「カラーピッカー」で利用したい色❶と明るさ❷を選択し、色を確認します❸。色が決まったら、「OK」をクリックします❹。

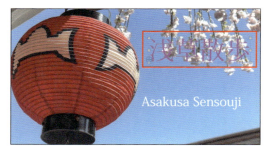

4 色が反映される

選択した色が、テキストに反映されます。別の色を設定したい場合は、もう一度「カラーピッカー」を表示して色を選択します。

テキストのフォントを変更する

テキストのフォントは、フォント一覧から選択します。

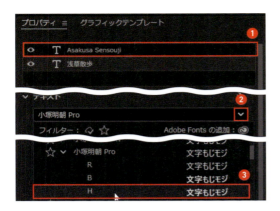

1 フォントを選択する

フォントを変更したいテキストのレイヤーを選択します❶。「テキスト」のフォント名の右端にある「v」をクリックします❷。フォント一覧が表示されるので、利用したいフォントやフォントスタイル（フォントの太さ）を選びます❸。

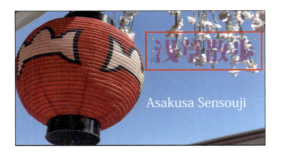

2 フォントが反映される

選択したフォントが、タイトルに反映されます。なお、フォントサイズやフォントの種類によっては、「フォントスタイル」からフォントの太さを選択できます。また、フォントによっては、テキストの表示位置を再調整する必要があります。

3 サブタイトルも変更する

サブタイトルも、レイヤーを選択して同様の方法で文字サイズ、フォントを変更します。表示位置は、ドラッグのほか数値でも指定できます。なお、複数行入力している場合は、「中央揃え」など文字揃えのオプションを利用して表示位置を揃えます。

テキストの境界線を設定する

テキストを目立たせたい場合は、「境界線」を有効にします。境界線とは、文字の縁取りのことです。

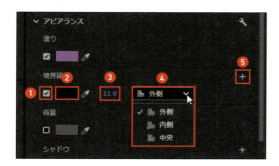

1 境界線を設定する

「アピアランス」で、「境界線」のチェックボックスをクリックしてオンにします❶。カラーボックスで色を設定し❷、右側にある「境界線の幅」で太さを調整します❸。また、境界線の設定場所も選択できます❹。右端にある「＋」❺をクリックすると、さらに外側に別の境界線を追加できます。

2 境界線が設定される

境界線を設定すると、文字のまわりに縁取りが設定されます。

ドロップシャドウを設定する

さらに文字を目立たせたい場合は、「アピアランス」の「シャドウ」を設定します。「シャドウ」のチェックボックスをクリックして、オンにします❶。オンにするとオプションが表示されるので、カラーボックスで影の色を設定し❷、オプションを設定します❸。なお、影の色はデフォルトでグレーに設定されます。必要に応じて色を変更してください。画面のサンプルでは、黒に変更しています。

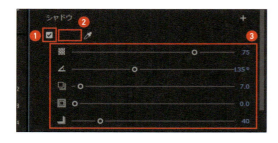

タイトルに「シャドウ」を設定して目立たせた。

サブタイトルにも「シャドウ」を設定した。

テキストを修正する

テキストのカスタマイズなどを行った後で、テキストの内容やサイズ、表示位置を変更したいということはよくあります。そのような場合は、テキストをクリックして選択し、「プロパティ」パネルで修正します。

また、テキストを選択すると表示されるバウンディングボックスの白い〇をドラッグすると、サイズを変更できます。全体をドラッグして表示位置の変更、ダブルクリックしてテキスト再入力など、自由にアレンジできます。

テキストの内容、サイズ、表示位置を変更した。

POINT テキストに「背景」を設定する

「アピアランス」オプションの「背景」を有効にすると、テキストの背後に長方形のシェイプを配置できます。動画編集では、このようなシェイプを「座布団」と呼びます。シェイプは、濃度や色なども変更できます。

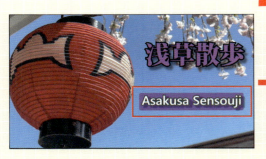 

テキストに背景（座布団）を設定した。

トランジションを設定する

メインタイトルに設定する効果としては、P.60で解説しているトランジションがあります。テキストを単純に設定しただけでは、唐突にタイトル文字が表示されてしまいます。テキストをフェードイン、フェードアウトしながら表示させるには、トランジションを利用します。

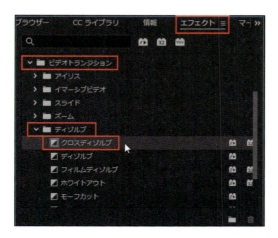

1 トランジションを選択する

ここで利用するトランジションは、「クロスディゾルブ」です。「エフェクト」パネル→「ビデオトランジション」→「ディゾルブ」の順にカテゴリーを開き、「クロスディゾルブ」を選択してください。

2 クリップに設定する

トランジションの「クロスディゾルブ」を、シーケンスに配置したタイトルクリップの先端❶と終端❷に設定します。

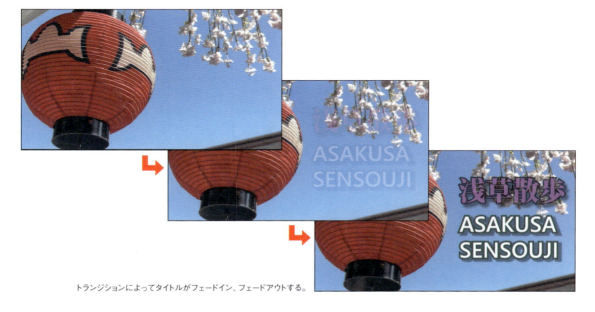

トランジションによってタイトルがフェードイン、フェードアウトする。

Section 03 タイトルをアニメーションさせる

設定したメインタイトルは、Premiere Pro にはエフェクトとして認識されています。このテキストのエフェクトは、「エフェクトコントロール」パネルで自由にカスタマイズできます。かんたんなアニメーションも設定できます。

「エフェクトコントロール」パネルを確認する

テキストのアニメーションを作成する前に、設定したテキストを選択し、「エフェクトコントロール」パネルを表示しておきます。

1 テキストを選択する

「プログラムモニター」で、入力したテキストを選択してバウンディングボックスを表示させます。

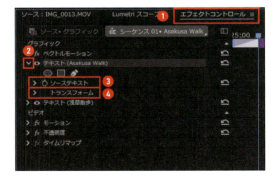

2 「エフェクトコントロール」パネルを表示する

「エフェクトコントロール」タブをクリックし❶、パネルを表示します。ここに、メインタイトルとサブタイトルとして設定した「テキスト」というエフェクトが登録されています。このうちサブタイトルエフェクト名の先頭にある「>」をクリックして❷、オプションを展開します。「ソーステキスト」❸と、「トランスフォーム」❹というカテゴリーがあります。

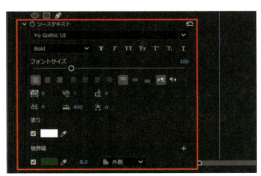

3 ソーステキストを展開する

「ソーステキスト」の先頭の「>」をクリックして展開すると、エッセンシャルグラフィックスと同じ設定項目が並んでいます。「プロパティ」パネルを表示すると、設定オプションが同じであることがわかりますが、「エフェクトコントロール」パネルでは各テキストごとに設定が可能で、「プロパティ」パネルではテキストごとの設定はできません。

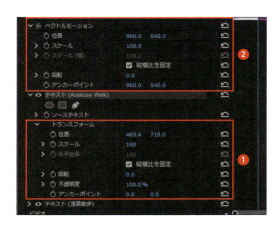

4 「トランスフォーム」を展開する

次に、「トランスフォーム」を展開します❶。すると、「位置」や「スケール」といったオプションが並んでいます。その上にある「ベクトルモーション」を展開すると❷、やはり「位置」や「スケール」といったオプションが並んでいることがわかります。この違いについては、下のPOINTを参照してください。

POINT 「ベクトルモーション」と「トランスフォーム」の違い

「ベクトルモーション」と「トランスフォーム」では、両方に「位置」や「スケール」といったオプションが並んでいます。どちらのオプションを使ってもテキストに対する設定ができるのですが、「ベクトルモーション」はテキストを配置しているフレームに対して適用される効果です。一方の「トランスフォーム」は、入力したテキストに対して適用される効果です。今回は「浅草散歩」と「Asakusa Walk」という2つのテキストを入力していますが、「ベクトルモーション」を利用すると、両方のテキストに対して効果が適用されます。「トランスフォーム」を利用すると、どちらか対象のテキストに対してのみ効果が適用されます。

「位置」のアニメーションを作成する

テキスト「Asakusa Walk」の「トランスフォーム」を利用して、画面の下からテキストがせり上がってくるアニメーションを作成してみましょう。P.213の解説にあるように、アニメーションの設定には5つの重要なポイントがあります。これらのポイントに注意して、アニメーションを作成しましょう。なお、ここではアニメーションが終了する時間、位置を最初に決めて作成します。

テキスト「Asakusa Walk」が画面下からせり上がってくるアニメーション。

1 テキストを選択する

「プログラムモニター」で、アニメーションさせたいテキスト（ここでは「Asakusa Walk」）を選択します。

2 トランスフォームを展開する

「エフェクトコントロール」パネル❶の「テキスト」❷→「トランスフォーム」❸を展開します。

3 再生ヘッドを終了時間に合わせる

「エフェクトコントロール」パネル右側のタイムラインで、再生ヘッドを全体の中央付近に合わせます。ここが、アニメーションの終了時間になります。

4 テキストの位置を確認する

「プログラムモニター」で、テキストの位置を確認します。この位置が、アニメーションが終了したときにテキストが表示される位置になります。必要があれば、この時点で位置を修正しておきます。

5 アニメーションをオンにする

トランスフォームの「位置」の先頭にあるストップウォッチで、アニメーションのオン／オフを切り替えます。これをクリックするとアイコンが青色に変わり❶、タイムラインの再生ヘッドのある位置に◇のキーフレームが表示されます❷。

6 再生ヘッドを移動する

再生ヘッドを、タイムラインの左端に移動します。ここが、アニメーションの開始時間になります。

7 テキストを移動する

トランスフォームの「位置」の右側に2つ並んでいる数値は座標値です。左がX軸の座標、右がY軸の座標になります。この数値を変更するか、テキストをドラッグして、テキストを画面の外に移動します。

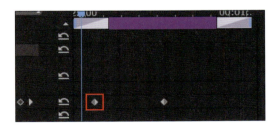

8 キーフレームを確認する

テキストを移動すると、タイムラインに自動的にキーフレームが設定されます。

9 再生してアニメーションを確認する

「プログラムモニター」で再生し、アニメーションを確認します。

> **POINT キーフレームについて**
>
> 「キーフレーム」という言葉は、「キー」となる「フレーム」という意味になります。すなわち、「そのフレームを再生したら、何か行動を起こす」ということです。例えば、「そのフレームを再生したらアニメーションを開始する」「このキーフレームを再生したらアニメーションを停止する」といった命令が書き込まれたフレームが「キーフレーム」ということです。詳しくは、After Effectsのパートで解説します（P.221）。

Section 04 ロールタイトルを作成する

ムービーの最後に、出演者や制作スタッフ、協力者などの一覧を表示するタイトル機能が「ロールタイトル」です。エンドロールとも呼ばれるロールタイトルは、エッセンシャルグラフィックスで作成します。

ロールタイトルの作成

ムービーの最後に流れる関係者一覧などのテキストのことを、「ロールタイトル」と呼びます。ロールタイトルはエンドロールとも呼ばれ、画面の下から上へと流れるアニメーションです。

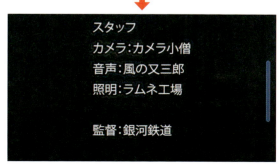

作成したエンドロール。

「プロパティ」パネルでエンドロールを作成する

エンドロールの作成作業は、「プロパティ」パネルを利用して行います。

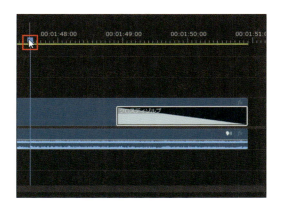

1 配置する位置を決める

エンドロールは、基本的にムービーの最後に設定します。ここでは、映像が終了する直前のエンドロールを表示する位置に、「プログラムモニター」で映像を確認しながら再生ヘッドを合わせます。

2 「文字」ツールを選択する

「文字」ツールを選択して❶、「プログラムモニター」の画面上でクリックします❷。このとき、タイムラインにはクリップが設定されます。

3 テキストを入力する

エンドロール用のテキストを入力します。エンドロールのテキストは、改行しながら複数行入力します。行数が多い場合は、テキストエディタなどで作成したデータからコピー&ペーストするとかんたんです。

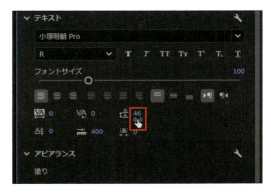

4 行間を調整する

「プロパティ」パネルの「テキスト」にあるオプション、「行間」の数値を変更し、行間を調整します。

5 行間が調整された

テキストの行間が調整されました。行間を調整すると、入力したテキストの中で表示されなくなる部分が出てくることがありますが、問題ありません。

6 フォントや文字サイズを調整する

「ツール」パネルの「選択」ツールをクリックして、テキストを選択モードに切り替えます。このとき、テキストの赤い枠が青いバウンディングボックスに変わります。これで、テキストに対してデザイン処理を設定できるようになります。P.108以降の方法で、フォントや文字サイズなどを設定します。なお、テキストのデザインは直前でタイトル作成作業を行っていれば、そのときに設定した内容が引き継がれます。この設定は、Premiere Proを再起動すると、クリアされます。

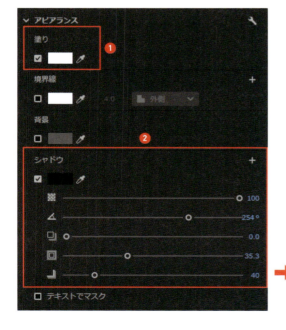

7 アピアランスを設定する

フォントや文字サイズの調整を行います。また、P.111の方法で文字色などを設定します❶。エンドロールの場合、白色の方が落ち着いたイメージに仕上がります。また「シャドウ」をうまく利用して、目立つように調整します❷。必要があれば、文字の表示位置を調整します。このとき、上下の位置はどこにあってもかまいませんので、左右の位置を調整します。画面のテキストは、「整列と変形」にある「水平方向に中央揃え」で、左右中央に配置しています。

8 テキスト選択を解除する

テキストの設定が完了したら、テキスト以外の部分をクリックして選択を解除します。

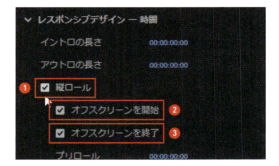

9 ロール機能をオンにする

テキストの選択を解除すると、「プロパティ」パネルの表示が変わります。ここで、「レスポンシブデザイン－時間」にある「縦ロール」のチェックボックスをオンにすると❶、オプションが表示されます。基本的にはそのままでかまいませんが、「オフスクリーンを開始」❷と「オフスクリーンを終了」❸にチェックが入っていることを確認してください。

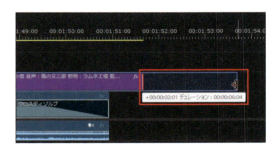

10 再生時間を調整する

エンドロールは、デフォルトで5秒のデュレーションで設定されます。再生を実行し、再生速度が速いようならトリミングの要領でデュレーションを長く変更すると、再生速度が遅くなります。逆にデュレーションを短くすると、再生速度が速くなります。

POINT レンダリングバーについて

シーケンスの上部に、黄色や赤のラインが表示されていることがあります。これは「レンダリングバー」といって、再生時になめらかに再生されるかどうかを示しています。黄色は、「なんとかなめらかに再生可能」という印、赤色は「なめらかに再生されない可能性がある」という印です。黄や赤で表示されている場合は、メニューバーから「シーケンス」→「インからアウトをレンダリング」を実行すると、レンダリングが実行されて緑色のラインに変わります。なお「レンダリング」とは、さまざまなデータを動画ファイルとして1つにまとめる作業のことをいいます（P.169）。

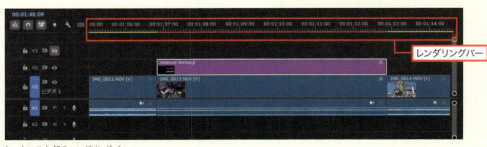

シーケンス上部のレンダリングバー。

Section 05 文字起こし機能を利用する

Premiere Proの「文字起こし」機能は常に進化を続けています。現在のバージョンでは、動画の中での会話をテキストとして出力する機能がとても使いやすく進化しています。

文字起こしを行う

ここでは、サンプルにある「narration.mp4」データを利用して文字起こしを行う手順を解説します。今回はアフレコで入れたナレーションを利用していますが、カメラに向かって話しているナレーションや対談などでもかまいません。なお、映像内に複数人で会話した音声データがある場合は、それぞれ「話者1」「話者2」と自動認識され、「・・・話者1」「・・・話者2」のように話者名が区別されて表示されます。この名前は、自由に変更することができます。

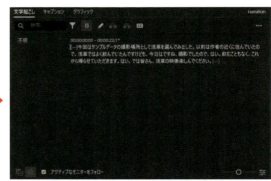

音声データから文字起こしを行った。

1 動画データを取り込む

サンプルの「narration」→「narration.mp4」を取り込み、シーケンスに配置します。画面では、narrationビンを作成し、そこに動画データを取り込んでいます。

2 シーケンスを作成する

取り込んだ動画データを「タイムライン」パネルにドラッグ&ドロップして、シーケンスを作成します。このとき、シーケンスはドラッグ&ドロップした素材データの編集に適した内容に自動的に設定されます。

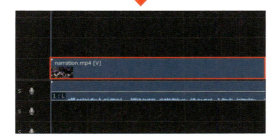

3 「テキスト」パネルを表示する

ワークスペース左上のパネルグループで「テキスト」タブをクリックし❶、文字起こし用のパネルを表示します❷。タブがない場合は、メニューバーから「ウィンドウ」→「テキスト」を選択してください。

4 文字起こしを開始する

画面右上にある「文字起こし開始」をクリックします。

5 文字起こしが実行される

文字起こしが実行されます。

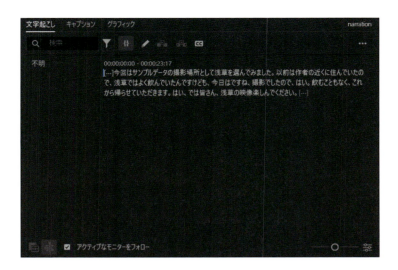

6 テキストが表示される

文字起こしが終了すると、文字起こしされたテキストが表示されます。なお、誤変換などがあって文字を修正したい場合は、テキストをダブルクリックして修正できます。会話に合わせて修正する場合は、P.130を参照してください。

POINT テキストを出力する

文字起こしされたテキストは、テキストファイルとして出力することができます。

「･･･」をクリックして…

書き出し方法を選択する。

Section 06 文字起こししたテキストをキャプションに変更する

「文字起こし」でテキスト化したデータを、今度はキャプションに変更してみましょう。会話のタイミングに合わせて、テキストをキャプションとして表示することができます。

キャプションに変更する

文字起こしによってテキスト化された会話は、会話のタイミングに合わせてキャプションとしてシーケンスに配置できます。以下の画面が、キャプションに変更したテキストデータです。キャプションにすると、実際の発声に合わせて画面にテキストが表示されます。

キャプション化されたテキスト。

「プログラムモニター」にテキストが表示される。

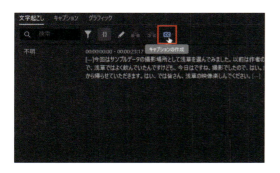

1 「キャプションの作成」をクリックする

文字起こしが終了したら、「テキスト」パネルの上部にある、「CC」と書かれた「キャプションの作成」をクリックします。

127

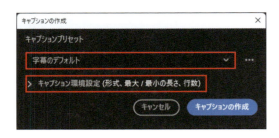

2 プリセットを選択する

キャプション用のプリセットを選択するダイアログボックスが表示されます。ここで、必要に応じてオプションを設定します。

3 字幕のデフォルトを選択する

「キャプションプリセット」では、キャプションを配置する方法を選択します。通常は、さまざまなケースに対応できる「字幕のデフォルト」を選択します。

4 「キャプション環境設定」を設定する

「キャプション環境設定」では、キャプションの文字数や行数など、表示形式に関するオプションを選択します。設定項目は、「形式」「スタイル」「1行の最大文字数」などがあります。

❶ 形式
キャプションの形式を選択します。通常は、「サブタイトル」を選択しておきます。

❷ スタイル
キャプションのデザインが保存されている場合は、それを選択できます。

❸ 1行の最大文字数
各キャプションで、1行に表示可能な文字数を設定します。

❹ 最短のデュレーション（秒）
キャプションを表示させておく最短時間を秒数で指定します。

❺ キャプション間の間隔（フレーム）
キャプションとキャプションの間隔をフレーム数で指定します。

❻ 行数
画面に表示するキャプションの行数を選択します。

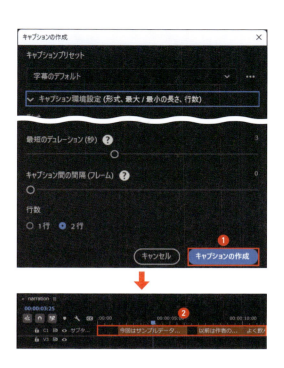

5 キャプションを作成する

「キャプションの作成」❶をクリックすると、キャプションが作成されます❷。キャプションは、キャプション専用の「サブタイトル」というトラックに表示されます。

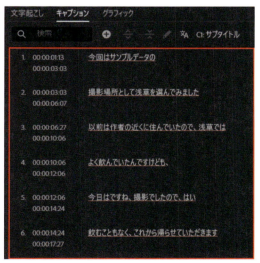

6 「テキスト」パネルのデータを確認する

「テキスト」パネルには、各キャプションがタイムコード付きで表示されます。また、「プログラムモニター」には、キャプションが表示されます。

Section 07 キャプションをカスタマイズする

「文字起こし」で作成したテキストをキャプションとして配置できたら、読みやすくなるようにカスタマイズしてみましょう。

キャプションのテキストを修正する

Premiere Proの「文字起こし」の精度はかなり高く、ほとんど誤変換がありません。ただし、録音環境や滑舌がよくない話者の場合、誤変換が発生することがあります。その場合は、テキストの修正を行います。以下の画面では、「浅草」が「作者」と認識されています。これを修正してみましょう。

1 修正モードに切り替える

修正したいテキストのある行をダブルクリックして、修正モードに切り替えます。

2 テキストを修正する

修正したいテキスト部分をクリックし、テキストを修正します。

文字サイズやフォントを変更する

キャプションの文字サイズやフォントは、「プロパティ」パネルで変更できます。

1 キャプションを選択する

キャプショントラックのキャプションをクリックして選択すると❶、「プロパティ」パネルにテキストの修正オプションが表示されます。「テキスト」などで設定ができます❷。

2 フォントサイズを変更する

ここでは、フォントサイズを変更してみました。

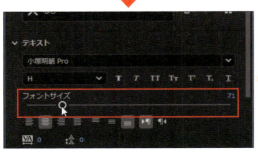

キャプションをまとめて設定する

シーケンスのキャプションをまとめて設定したい場合は、キャプションをすべて選んで調整します。なお、トラックに配置したクリップを左から右まですべて表示したい場合は❶、キーボードの¥キーを押すと、プロジェクト全体が表示されます。また、まとめて選択した場合、「プロパティ」パネルには複数のクリップが選択対象になっていることを示すメッセージが表示されています❷。

キャプションをすべて選択する。

オプション表示が切り替わる。

キャプションに座布団を設定する

「プロパティ」パネルの「アピアランス」にある「背景」を利用すると、キャプションに座布団を設定し、読みやすくできます。

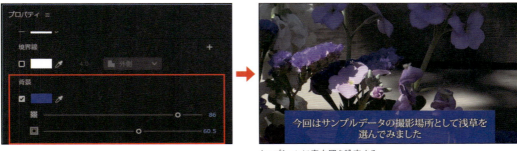

キャプションに座布団を設定する。

Chapter

5

Premiere Pro 編

オーディオを編集する

Section 01 BGMを設定する

BGMは、映像の重要なパートナーです。BGMによって、映像のイメージが大きく変化することも少なくありません。BGMとなるオーディオデータは、オーディオトラックに配置します。

オーディオクリップを配置する

Premiere Proでは、WAV形式（Windows版のみ）やMP3形式、AIFF形式など、さまざまなファイル形式のオーディオデータを利用できます。本書では、必要に応じて動画データを「ビデオクリップ」、オーディオデータを「オーディオクリップ」と呼び分けて解説します。通常は、一括りにクリップと呼んでいます。

1 オーディオクリップを取り込む

ビデオクリップと同様に、オーディオデータも保存先フォルダーや「読み込み」画面から「プロジェクト」パネルにオーディオクリップとして取り込みます。「プロジェクト」パネルには、「Audio」や「BGM」などの名前でビンを設定しておくとよいでしょう。なお、「読み込み」画面では、新規ビンや新規シーケンスなどはオフにして読み込んでください。

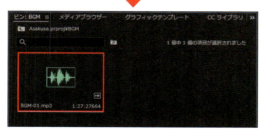

2 オーディオクリップを再生する

取り込んだオーディオクリップをダブルクリックすると、「ソースモニター」に波形が表示されます。コントローラーにある「再生」をクリックして、BGMを再生・確認します。

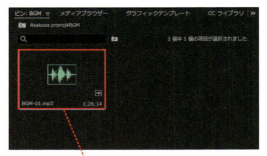

3 シーケンスに配置する

取り込んだオーディオクリップを、シーケンスのオーディオトラックにドラッグ&ドロップして配置します。画面では、「A2」トラックに配置しています。

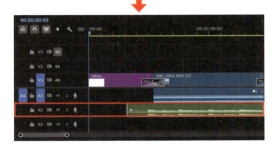

4 オーディオクリップの波形を表示する

オーディオトラックの「タイムライントラックヘッダー」をダブルクリックすると、トラックの高さが変わり、オーディオデータの波形が拡大表示されます。拡大表示すると、音量調整などがしやすくなります。

5 オーディオクリップをトリミングする

オーディオクリップをトリミングしたい場合は、オーディオクリップの先端または終端にマウスポインターを合わせてドラッグします❶。このとき、ビデオクリップの終端と同じ位置に合わせると、▽マークが表示されます❷。

Section 02 クリップやトラックの音量を調整する

編集中のプロジェクトには、複数のクリップが配置されています。ここではBGMの音量調整など、クリップ単位、トラック単位での音量調整について解説します。

「エッセンシャルサウンド」パネルでクリップの音量を調整する

「エッセンシャルサウンド」パネルを利用して、BGMの音量を調整してみましょう。

1 オーディオ波形を表示する

P.38で解説したように、トラックヘッダー部分をダブルクリックしてトラックの高さを広げ、オーディオ波形を表示します。

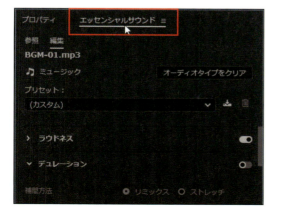

2 「エッセンシャルサウンド」パネルを表示する

「プロパティ」タブの右にある「エッセンシャルサウンド」タブをクリックし、パネルを表示します。

3 「クリップボリューム」を調整する

パネルの下にある「クリップボリューム」のスライダーを左右にドラッグします❶。左にドラッグすると音量が下がり、右にドラッグすると音量が上がります。音量は、左端のdBで表示されています❷。

4 波形表示が変わる

スライダーのドラッグにより、シーケンスのクリップの波形表示も変わります。

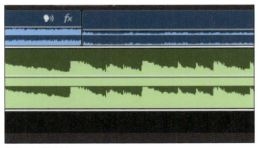
音量を上げた場合。

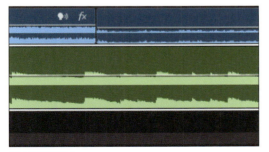
音量を下げた場合。

 POINT　デシベル表示について

スライダーを左右にドラッグすると、音量が「dB」（デシベル）という単位で表示されます。デシベルは、基準となる値と比較して、どれくらい音が大きいか、小さいかを示す単位です。この場合の基準はクリップを調整する前の音量で、取り込んだオーディオデータのもとの音量を「0dB」としています。ちなみに、6dBは基準値の約2倍、-6dBは基準値の約2分の1の音量になります。BGMには-20dB〜-30dBくらいが適しているようです。

ラバーバンドでクリップの音量を調整する

Premiere Pro に以前から用意されている音量調整の方法が、ラバーバンドによる調整です。ここでは、ラバーバンドを使って BGM クリップの音量を調整してみましょう。

1 オーディオ波形を表示する

トラックヘッダー部分をダブルクリックしてトラックの高さを広げ、オーディオ波形を表示します。

2 ラバーバンドにマウスを合わせる

トラックに横一線に引かれているラインがあります。これが音量を調整するための「ラバーバンド」です。このラバーバンドにマウスを合わせると、「＋」と「－」のマークの付いた黒い矢印マウスに変わります。

3 ラバーバンドを上下にドラッグする

この状態でマウスを上下にドラッグすると、ラバーバンドのラインも上下します。ラインを上にドラッグすると音量が上がり❶、下にドラッグすると音量が下がります❷。dBの表示で、音量を確認します。

「エフェクトコントロール」パネルでクリップの音量を調整する

音量調整は、「エフェクトコントロール」パネルでも可能です。基本的には、クリップ上でのラバーバンドの調整と同様、dBでのレベル調整になります。

1 クリップを選択する

シーケンスに配置したクリップから、音量を調整したいクリップを選択します。

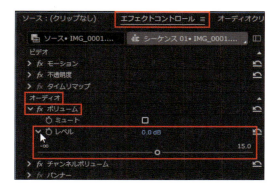

2 「エフェクトコントロール」パネルを表示する

「エフェクトコントロール」パネルを表示します。オプションの「オーディオ」→「ボリューム」→「レベル」を選択すると、音量レベルを調整するスライダーが表示されます。

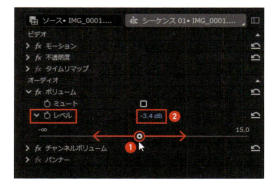

3 パラメーターを調整する

「レベル」のスライダーを左右にドラッグすると❶、クリップの音量レベルが変更され、表示されているデシベルの数値が変化します❷。

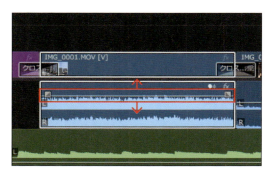

4 ラバーバンドも上下する

シーケンス上のクリップに表示されているラバーバンドも、スライダーの左右のドラッグに応じて上下します。

Section 03

ミキサーを利用して音量を調整する

Premiere Proには、音量調整用のミキサーが搭載されています。クリップ単位での音量調整には「オーディオクリップミキサー」、トラック単位での音量調整には「オーディオトラックミキサー」を利用します。

オーディオクリップミキサーについて

シーケンスに配置したビデオクリップの音量や、BGMで利用しているオーディオクリップの音量などを調整してみましょう。ここでは、「オーディオクリップミキサー」という音量レベルの調整機能を利用する方法について解説します。最初に、オーディオクリップミキサーの機能を確認しておきましょう。以下の画面の場合、オーディオトラックの「A1」と「A2」にクリップが配置されているため、この2カ所の音量が表示されています。

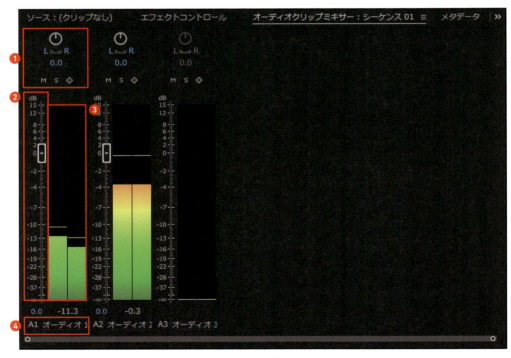

❶ バランスツマミ
　ステレオチャンネルの場合に、左右のバランスを調整します。

❷ ボリュームスライダー
　スライダーを上下させて、音量レベルを調整します。

❸ VUメーター
　音量を視覚的に表示するメーターです。

❹ トラック番号
　オーディオトラックの番号が表示されています。

オーディオクリップミキサーでクリップの音量を調整する

オーディオクリップミキサーを利用して、クリップごとの音量を調整してみましょう。

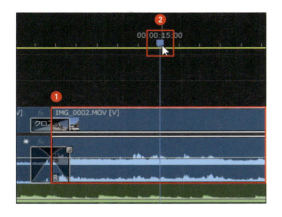

1 クリップを選択する

シーケンスに配置したクリップのうち、音量レベルを調整したいクリップを選択し❶、そのクリップに再生ヘッドを合わせておきます❷。なお、変化がわかりやすいように、「タイムライントラックヘッダー」をダブルクリックしてトラックの高さを広げておくとよいでしょう（P.38）。

2 オーディオクリップミキサーを表示する

「ソースモニター」が表示されているグループで、「オーディオクリップミキサー」タブをクリックします。タブが表示されていない場合は、メニューバーから「ウィンドウ」→「オーディオクリップミキサー」を選択してください。

3 レベルを調整する

選択したクリップが配置されているトラック（画面では「A1」トラック）のボリュームスライダーを上下にドラッグし、レベルを調整します。ボリュームスライダーを上にドラッグすると音が大きくなり、下にドラッグすると小さくなります。

4 波形が変化する

オーディオクリップミキサーのボリュームスライダーを操作すると、シーケンスで選択したクリップに「ラバーバンド」が表示されます。ラバーバンドの上下で、音量の状態を確認できます。

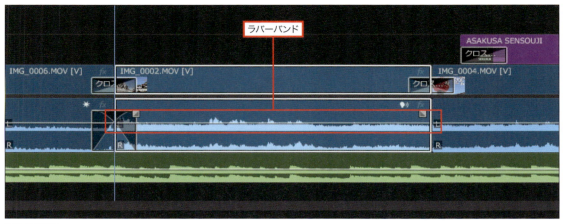
調整前の状態。

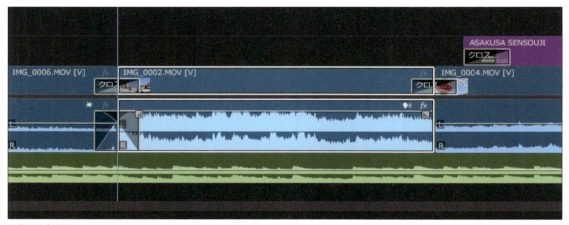
音量を上げた状態。

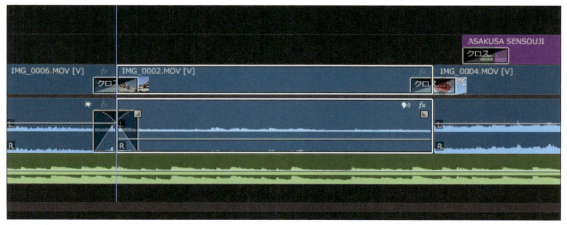
音量を下げた状態。

オーディオトラックミキサーを利用する

「オーディオクリップミキサー」がクリップ単位での音量調整に対応したミキサーであるのに対し、「オーディオトラックミキサー」はトラック単位で音量調整をするミキサーです。1本のトラックに複数のクリップがある場合、それらの音量をまとめて調整することができます。さらに、オーディオトラックミキサーには「ミックス」機能があります。これを利用すると、すべてのトラックの音量をまとめて調整できます。つまり、プロジェクト単位の音量調整ができるということです。

1 ミキサーを表示する

メニューバーから「ウィンドウ」→「オーディオトラックミキサー」を選択し、表示されたサブメニューから編集中のシーケンス名を選択します。

2 レベルを調整する

調整するトラック名は、画面下部に表示されています❶。このうち「ミックス」では、すべてのトラックを1つのトラックとしてまとめて音量を調整できます❷。すなわち、プロジェクト全体の音量を調整できるというわけです。

音量調整は、プロジェクトを再生し、VUメーターを見ながらボリュームスライダーを上下して行います。なお、オーディオトラックミキサーのボリュームスライダーでレベルを調整しても、シーケンスのラバーバンドの表示は変化しません。

POINT 0dBを超えないように調整する

ミキサーでは、音量が0dBを越えないように調整します。この場合の0dBは、P.137のPOINTで解説している0dBとは異なり、「デジタルオーディオでは越えてはいけないレベル」という意味になります。0dBを越えるとクリッピング状態といって赤く表示され、音割れやひずみの原因になります。

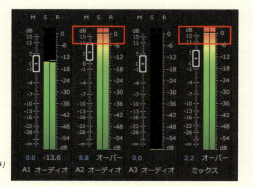

0dBを超えるとクリッピング状態になり赤く表示される。

Section 04 クリップの音量をノーマライズする

クリップごとの異なる音量を均一化するノーマライズには、「エッセンシャルサウンド」を利用する方法と、「オーディオゲイン」を利用する方法があります。ここでは、エッセンシャルサウンドを使った方法を解説します。

「エッセンシャルサウンド」パネルでノーマライズする

「エッセンシャルサウンド」の「ラウドネス」を利用すると、複数クリップの音量を聞きやすい音量に均一化できます。「ラウドネス」という言葉には、もともと「聞きやすい音量」という意味があります。

1 クリップを選択する

音量をノーマライズしたいクリップを複数選択します。選択時に Alt キー（macOS：Option キー）を押しながらドラッグすると、オーディオ部分だけを選択できます。映像部分を含んで選択しても、問題はありません。

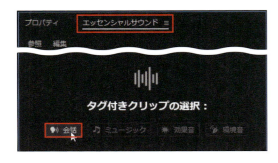

2 「会話」をクリックする

画面右上の「エッセンシャルサウンド」タブをクリックし、「会話」をクリックします。

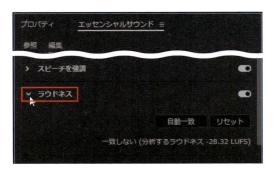

3 「ラウドネス」をクリックする

オプションが表示されたら、「ラウドネス」をクリックして、設定オプションを表示します。

4 ノーマライズを実行する

「ラウドネス」の「自動一致」をクリックします。

調整前

5 ノーマライズが実行される

選択したクリップの音量が均一化され、シーケンスの波形表示が変わります。

調整後

POINT オーディオゲインでノーマライズする

編集中の「シーケンス」パネルを選択し、メニューバーから「クリップ」→「オーディオオプション」→「オーディオゲイン」を選択すると、設定パネルが表示されます。ここで、たとえば「すべてのピークをノーマライズ」を実行すると、ピークレベルを指定しながらノーマライズできます。

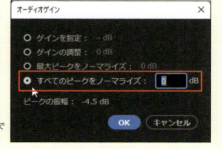

「すべてのピークをノーマライズ」でピークレベルを指定する。

POINT レベルとゲイン

オーディオの音量調整では、「レベル」と「ゲイン」という2つの用語が使われます。それぞれ、次のような違いがあります。

● レベル

音量の高低の度合いを示したものです。全体から見て、どの程度の高さにあるのかを示しています。

● ゲイン

基準となる音量と比較して、どれくらいの音量が出力されるかの比率を表しています。基準となる音量とは、現在のクリップの音量のことを指します。単位にdB（デシベル）を利用し、数値が大きいほど音量のレベルが高くなり、音は大きくなります。反対に、数値が小さいほど音量のレベルが低くなり、音は小さくなります。

Section 05 BGMにフェードイン／フェードアウトを設定する

オーディオクリップは、フェードハンドルを利用してかんたんにフェードイン、フェードアウトの設定ができます。

フェードハンドルを利用する

現在のPremiere Proでは、インタラクティブなフェードハンドルが追加され、かんたんにフェードイン、フェードアウトが設定できるようになりました。

≫ フェードインを設定する

クリップにフェードインを設定する場合は、クリップの先端にあるフェードハンドルを右にドラッグします❶。このとき、フェードのデュレーションが表示されます❷。

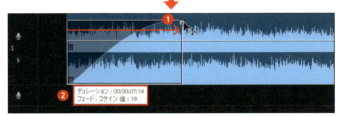

≫ フェードアウトを設定する

クリップにフェードアウトを設定する場合は、クリップの終端にあるフェードハンドルを左にドラッグします❶。このとき、フェードのデュレーションが表示されます❷。

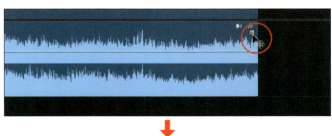

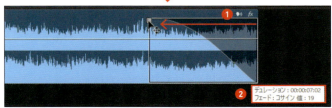

≫ フェードのスロープ（音量）を調整する

フェードを設定したフェードハンドルをマウスで上下にドラッグすると、フェードのスロープ（音量）を調整できます。

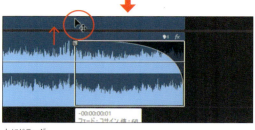

上にドラッグ。

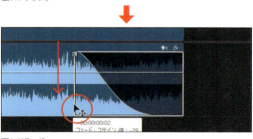

下にドラッグ。

≫ スロープを変えずにデュレーションを変更

設定したフェードハンドルを Alt キー（macOS： Option キー）を押しながら左右にドラッグすると、スロープを変えることなくフェードのデュレーションを変更できます。

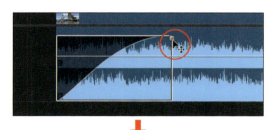

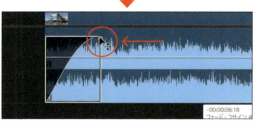

左にドラッグ。

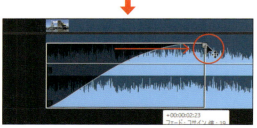

右にドラッグ。

≫デュレーションを変えずにスロープを変更

設定したフェードハンドルを Alt キー（macOS：Option キー）を押しながら上下にドラッグすると、デュレーションを変えることなくスロープを変更できます。

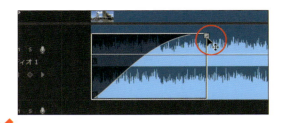

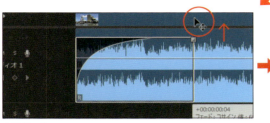

上にドラッグ。　　　　　　　　　　　下にドラッグ。

≫オーディオトランジションを設定する

オーディオにもトランジションがあります。オーディオトランジションは、ビデオトランジションと同じ「エフェクト」パネルから設定します。

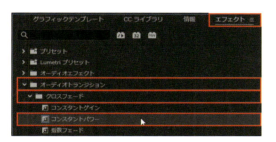

1 トランジションを選択する

「エフェクト」パネルで「オーディオトランジション」→「クロスフェード」→「コンスタントパワー」を選択します。

2 トランジションを設定する

選択したトランジションを、クリップの先端、終端にドラッグ&ドロップで設定します。

POINT　オーディオトランジションのタイプ

オーディオトランジションのタイプには、次の3種類があります。

- **コンスタントゲイン**：直線的なフェードイン、フェードアウト
- **コンスタントパワー**：曲線的で自然なフェードイン、フェードアウト
- **指数フェード**：緩急のあるフェードイン、フェードアウト

クロスフェードを設定する

「クロスフェード」は、接続したクリップのうち、前のクリップのフェードアウト、後のクリップのフェードインが同時に行われる効果です。フェードハンドルを使うと、かんたんに実現できます。

1 フェードハンドルをドラッグする

フェードハンドルを、隣のクリップ上にドラッグします。前のクリップの終端のハンドルなら、次のクリップの先端にドラッグします。後のクリップの先端のハンドルなら、前のクリップの終端にドラッグします。なお、Shiftキーを押したままフェードハンドルの片方をドラッグすると、もう片方は固定されたままデュレーションを変更できます。

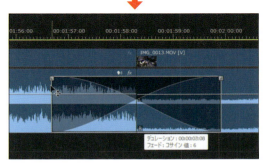

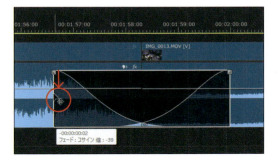

2 スロープを調整する

ハンドルを上下にドラッグすると、フェードのスロープ（音量）を調整できます。

Section 06 リミックス機能でオーディオをトリミングする

BGMを設定する際、「リミックス」ツールを利用することで、トリミングによるデュレーション調整などを行わなくても、最適なデュレーションにかんたんに調整できます。

「リミックス」ツールについて

リミックスは、動画データのデュレーションに合わせて、BGMなどオーディオデータのデュレーションを自動調整してくれる機能です。BGMを設定した際、トリミングによる編集では不自然な位置で楽曲が終わってしまうことがあります。しかし、リミックスを利用するとBGMをAI機能で分析することで途中を自動調整し、自然な流れでBGMを終わらせることができます。リミックスの適用には、「リミックス」ツールを利用する方法と、エッセンシャルサウンドを利用する方法の2種類があります。

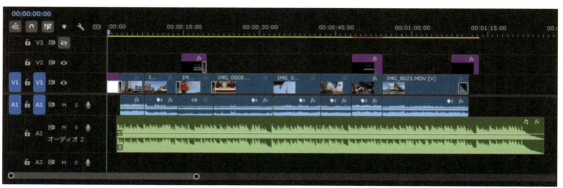

リミックス前のBGM。

リミックス後のBGM。

「リミックス」ツールでリミックスする

「リミックス」ツールを利用したリミックス処理は、トリミングの要領でクリップをドラッグするだけです。

1 「リミックス」ツールを選択する

「ツール」パネルの「リップル」を長押ししてサブメニューを表示し、「リミックス」ツールを選択します。

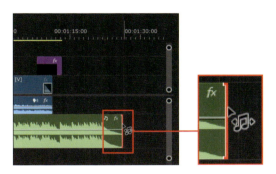

2 BGMの終端にマウスを合わせる

マウスが音符の形に変わるので、そのままBGMの終端にマウスを合わせてクリックします。終端には、編集対象を示す赤いラインが表示されます。

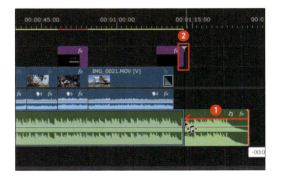

3 BGMの終端をトリミングする

オーディオクリップの終端を左にドラッグします❶。例えばロールタイトルの終端に合わせると、ロールタイトルのクリップにグレーの▽が表示され❷、同じ位置であることが示されます。

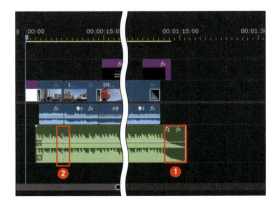

4 リミックス処理される

マウスのボタンを離すと、AIによるリミックス処理が実行されて自動的にトリミングされます。画面でわかるように、オーディオの終端部分のフェードアウトは活かされています❶。また、曲の途中に1カ所、あるいは数カ所に破線が表示され、AIがここでデュレーションと曲のつながりを調整するためにカット処理をしたことがわかります❷。

「エッセンシャルサウンド」パネルでリミックスする

「エッセンシャルサウンド」パネルを利用して、BGM用のオーディオクリップをリミックスしてみましょう。

1 トリミング位置を確認する

BGMなどのオーディオデータを、シーケンスのオーディオトラックに配置します❶。オーディオトラックをトリミングして最終的なデュレーションに設定したい位置に、再生ヘッドを合わせます❷。このときのタイムコードを確認しておきます❸。

2 リミックスを有効化する

BGM用のクリップが選択されていない場合は、クリックして選択します。クリップを選択したら、メニューバーから「クリップ」→「リミックス」→「リミックスを有効化」をクリックします。

3 「エッセンシャルサウンド」パネルが表示される

リミックス処理が実行されます。このとき、ワークスペースの右側に「エッセンシャルサウンド」パネルが表示されます。画面右上の「エッセンシャルサウンド」タブをクリックしてもかまいません。

4 目標のデュレーションに設定する

「エッセンシャルサウンド」パネルの「デュレーション」にある「ターゲットデュレーション」のタイムコードを、手順 1 で確認したタイムコードと同じ値に設定します。

5 リミックスが反映される

リミックスの結果が反映されます。ただし、指定したデュレーションと完全に一致しないこともあります。画面でも、多少短くなっています。

BGMの著作権に注意する

楽曲をBGMとして利用する場合は、著作権には十分注意してください。たとえば、お気に入りのミュージシャンの楽曲を音楽サイトなどから購入したり、音楽CDなどから取り込んだ場合、これらの楽曲をBGMとして利用すると、ほぼ100%著作権侵害になります。

また、著作権フリーのサイトから購入、ダウンロードしたオーディオデータでも、利用方法によっては著作権侵害になる可能性があります。

こうした楽曲や素材オーディオデータを利用する場合は、サイトの「利用規約」や「音源利用ライセンス」などを必ず確認してください。利用して良い方法、著作権侵害になる利用法などが記載されています。

著作権フリーのBGMなどを検索する場合は、Googleなどで「BGM　フリー素材」などのキーワードを入力して検索してください。

フリーBGM「DOVA-SYNDROME」
（https://dova-s.jp/）

「DOVA-SYNDROME」の「音源利用ライセンス」画面

Section 07 動画から音声データを削除する

ビデオクリップの多くは、音声データと映像データから構成され、音声データはオーディオトラックに配置、表示されます。この映像部分と音声部分を分離して、音声だけを操作／削除することができます。

映像と音声のリンクを解除する

AVCHDなどのビデオクリップは、映像データと音声データがセットで構成されています。作成する動画作品によっては、動画の音声データをオフにし、別途追加したBGMと映像だけで構成したいという場合もあります。そのような場合は、クリップから音声データ部分を分離して削除することができます。

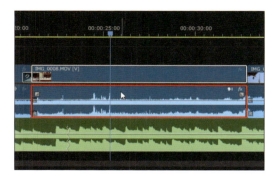

1 クリップを選択する

シーケンスで、音声データを削除したいクリップを選択します。

2 「リンク解除」を選択する

クリップ上で右クリックし、表示されたメニューから「リンク解除」をクリックします。

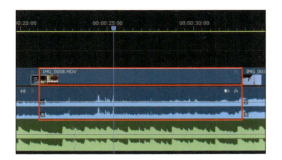

3 リンクが解除される

リンクが解除され、映像データ部分だけが選択された状態で表示されます。

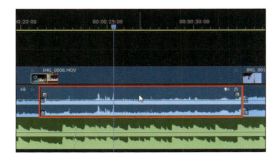

4 音声データを削除する

オーディオトラックのオーディオクリップ部分をクリックすると、音声データ部分だけが選択されます。ここで Delete キーを押します。

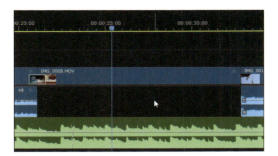

5 音声データが削除される

オーディオトラックのオーディオクリップだけが削除されます。

POINT Alt キーを押しながらクリック

キーボードの Alt キー（macOS：Option キー）を押しながらオーディオ部分をクリックすると、クリックした音声データだけが選択されます。これによって右クリックでの操作に比べて、すばやく削除等の操作ができます。

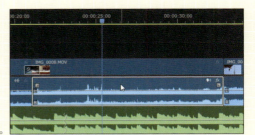

音声データだけを選択できた。

POINT 映像と音声のリンクを元に戻す

映像と音声のリンクを解除したクリップを、再度リンク設定させることも可能です。音声と映像の両方のクリップを選択し、その上で右クリックします。表示されたメニューから「リンク」をクリックすると、再度リンクが設定され、同時に操作できるようになります。

Section 08 ナレーションを録音する

映像に対して、音声でコメントを入れることを「ナレーション」といいます。Premiere Proには録音機能が搭載されているので、映像を見ながらナレーションを入力することができます。

録音デバイスを準備する

Premiere Proには録音機能が搭載されています。この機能を利用するには、利用するPCで録音デバイスが使えるように準備しておく必要があります。

≫ Windowsの場合

Windows 11を利用している場合は、「設定」にある「システム」①→「サウンド」②を選択し、表示された設定パネルの「入力」で利用するマイクを選択します③。このとき、適正なボリュームに調整しておきます④。

≫ macOSの場合

macOSの場合、「システム環境設定」の「サウンド」を開き①、サウンドを入力する装置を選択しておきます②。また、「入力レベル」も調整しておきます③。

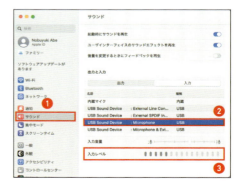

≫ Premiere Pro での設定

Premiere Proで録音を行うには、PCで利用可能になっている入力デバイスをPremiere Proでも利用できるように設定しておく必要があります。

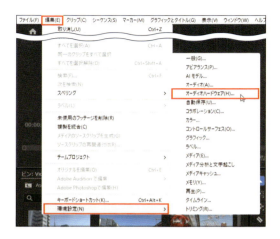

1 環境設定を選択する

メニューバーから、「編集」→「環境設定」→「オーディオハードウェア」をクリックします。macOSの場合は、「Premiere Pro CC」メニューの中に「設定」があります。

2 「デフォルト入力」を選択する

「オーディオハードウェア」❶の「デフォルト入力」❷で、録音に利用するデバイスを選択します。複数の録音用デバイスが接続されている場合は、「v」をクリックしてメニューを表示し、ナレーションの録音に利用するデバイスを選択します。選択したら、「OK」をクリックします❸。

POINT 本書で利用しているヘッドセットなど

本書のハードウェアの設定画面で利用しているデバイスは、以下のような製品です。それぞれ、利用するデバイスに合わせて設定してください。

ヘッドセット
Audio-Technica BPHS1

オーディオインターフェイス
Forcusrite Scarlett 2i2

ナレーションの録音を実行する

マイクの準備ができたら、ナレーションを録音しましょう。録音は、「シーケンス」パネルのオーディオトラックで行います。空いているオーディオトラックがない場合は、オーディオトラックを新しく追加してください。ここでは、オーディオ用のトラック「A3」に記録しています。

1 挿入位置を決める

シーケンスのプロジェクトを再生するか、タイムラインで再生ヘッドをドラッグして、ナレーションの挿入位置を見つけます。

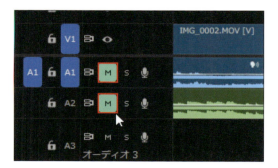

2 他のトラックをミュートに変更する

他のトラックにオーディオデータがある場合は、「ミュート」をオンにします。ナレーションの録音はプロジェクトを再生しながら行うため、音声やBGMを拾わないようにします。なお、音声を聴きながら録音したい場合は、音声出力をヘッドフォンに設定してください。また、録音で利用するトラックは、高さを広げておきます。

3 「ボイスオーバー録音」をオンにする

ナレーションのクリップを配置するトラックのトラックヘッダーにある、マイク型のアイコン「ボイスオーバー録音」をクリックします。すると録音機能がオンになり、赤い色で表示されます。この時、再生ヘッドが少し後ろに戻ります。

4 録音を開始する

「プログラムモニター」にカウントダウンが表示され、映像の再生と同時に録音が開始されます。

5 マイクに向かって話す

録音が開始されると、「プログラムモニター」に「レコーディング中」と表示されるので、マイクに向かって話します。

6 録音を停止する

ナレーションが終了したら、もう一度「ボイスオーバー録音」をクリックします。録音が停止されます。

7 クリップが配置される

録音を停止すると、オーディオトラックにオーディオクリップが配置されます。タイトルヘッダーをダブルクリックすると、トラックの高さが広くなります。

8 ミュートを解除する

ナレーションの録音を終了したら、オーディオトラックの「ミュート」を解除します。

TIPS エッセンシャルサウンドで雑音を軽減させる

ナレーションやインタビューなどの録音データには、ホワイトノイズと呼ばれる録音機材自身の雑音や、エアコンの雑音などが含まれている場合があります。これらの雑音は、オーディオ編集用のソフト「Adobe Audition」を使って削除する方法がおすすめですが、Premiere Pro のエッセンシャルサウンドでもノイズの軽減が可能です。「エッセンシャルサウンド」パネルの「会話」❶→「修復」❷を選択し、削除したいノイズのチェックボックスをクリックして有効にしてください❸。

「エッセンシャルサウンド」パネルの「修復」で雑音を軽減させる。

POINT 「Adobe Audition」でノイズ除去

オーディオ編集の専用アプリ「Adobe Audition」を利用すると、精度の高いノイズ除去を行うことができます。たとえば「Adobe Audition」の「ノイズリダクション」を利用すると、インタビューなどの動画で、会話の音質はほぼ変更せず、ホワイトノイズはもちろんバックのノイズだけを除去したり、物を落とした音など特定の音だけを削除できます。

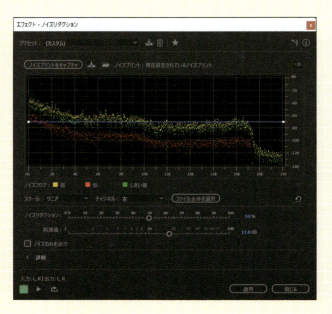

Chapter 6

Premiere Pro 編

Premiere Pro から出力する

Section 01 「クイック書き出し」で すばやく出力する

編集を終えたプロジェクトを動画ファイルとして「書き出し」画面から書き出す場合（P.164）、設定が必要になります。それに対して、設定を必要とせず、動画ファイルを手軽に出力できるのが「クイック書き出し」です。

「クイック書き出し」で動画ファイルを出力する

Premiere Proでの動画ファイルの出力は、「書き出し」画面から行うのが基本です。しかし、書き出しの設定が面倒という場合は、「編集」ページから2クリックで出力できる「クイック書き出し」がおすすめです。「書き出し」画面を使った書き出し方法については、P.164で解説します。

1 「クイック書き出し」をクリックする

「クイック書き出し」のボタンは、「ワークスペース」を切り替えるボタンの右側にあります。これをクリックしてください。

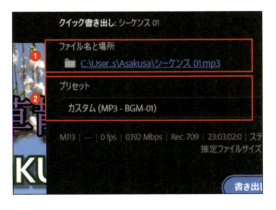

2 出力設定を行う

設定パネルが表示されます。ここでは、次の2カ所を設定すれば出力できます。

❶ ファイル名と場所
　ファイル名の設定と、出力した動画ファイルの保存場所を設定・確認する。

❷ プリセット
　おすすめの出力設定から目的に合ったセットを選ぶ。

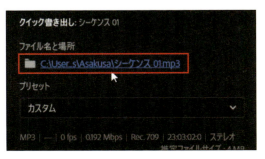

3 「ファイル名と場所」を設定する

「ファイル名と場所」は、デフォルトでファイル名はシーケンスと同じ名前、保存場所はプロジェクトファイルと同じ場所が設定されています。ファイル名や保存場所を変更したい場合は、ここをクリックして変更します。

4 プリセットを選択する

「プリセット」の「v」をクリックすると、選択可能なプリセットが表示されます。ここから利用したいプリセットを選択します。基本的には、デフォルトで選択されている「Match Source - Adaptive High Bitrate」を選んでおけば、最高画質で出力されます。

5 情報を表示する

プリセットの下のパラメーターにマウスを合わせると、詳細な情報が表示されます。プリセットの設定内容はH.264をベースに設定されており、プリセットをユーザーが変更することはできません。独自の設定で出力したい場合は、「書き出し」画面から出力してください（P.164）。

6 出力を実行する

「書き出し」をクリックすると、エンコードが開始され、動画ファイルが出力されます。

Section 02 「書き出し」画面から出力する

編集を終えたプロジェクトは、動画ファイルとしてPremiere Proから出力します。ファイルを出力する場合は、利用目的に適したファイル形式で、かつ高画質で出力することが大切です。

「書き出し」画面から動画ファイルを出力する

プロジェクトでの編集作業が終了したら、プロジェクトを動画ファイルとして出力します。この時出力するファイルは、利用する目的に適したファイル形式で出力することが重要です。ここでは例として、フルハイビジョンで編集したデータを、フルハイビジョンと同じ高解像度で出力する方法について解説します。なお、Premiere Proから書き出しを実行すると、Premiere Proでは書き出し以外の作業ができなくなります。そのため、本書ではこの後に解説するMedia Encoderから出力する方法をおすすめします（P.167）。

1 シーケンスを選択する

出力するシーケンスを選択します。複数のシーケンスを編集している場合は、出力したいシーケンスのタブをクリックします。出力できるのは、1つのシーケンス単位です。複数のシーケンスをまとめて出力することはできません。

2 「書き出し」画面に切り替える

シーケンスを選択したら、「編集」画面左上にある「書き出し」をクリックし、「書き出し」画面に切り替えます。

3 「保存先」を選択する

「書き出し」画面が表示されるので、左の一覧から、保存先として「メディアファイル」を選択します。デフォルトで右側のボタンがオンになっています。「メディアファイル」を選択すると、編集しているPC上に動画ファイルが出力されます。

4 「設定」を変更する

ファイル名は、デフォルトでシーケンス名が適用されています❶。変更する場合は、「ファイル名」に新しいファイル名を入力するか、「場所」の表示をクリックし❷、ファイル名❸や保存先❹を変更します。ファイル名は漢字などの2バイト文字を利用してもかまいませんが、出力したファイルをYouTubeなどで利用することを考えている場合は、文字化けを防ぐために1バイトの英数字の利用をおすすめします。設定ができたら、「保存」をクリックします❺。

5 「プリセット」を選択する

次に、「プリセット」を選択します。プリセットとは、利用する目的に応じて、事前にさまざまな設定が行われているひな形のことです。細かな設定をしなくても、プリセットを選択するだけで最適な設定内容で出力できます。ここでは、「Match Source - Adaptive High Bitrate」を選択します。このプリセットでは、素材と同程度の解像度のデータが出力できます。

6 「形式」を選択する

「形式」では、動画データを圧縮するためのコーデックを選択します。通常は「H.264」を選択します。SNSでの利用を含め、高画質でファイルサイズの小さい動画ファイルを出力できます。

POINT 次世代スタンダードは「H.265」

現在はH.264コーデックが主流ですが、次世代のコーデックとして期待されているのが「H.265」です。Windows 11ではまだ再生できませんが（コーデックを別途購入すれば利用可能）、macOSではH.265が標準コーデックとして搭載されています。H.265はH.264よりも高画質で、しかもファイルサイズを小さくできるのが特徴です。なお、WindowsでもPremiere Proを使えばH.265で出力／再生ができます。

7 「ソース」と「出力」を確認する

ワークスペースの右下には、「ソース」❶と「出力」❷という2つの表示があります。「ソース」には、利用した素材の形式が表示されています。「出力」には、これから出力する動画ファイルの形式が表示されています。2つの表示を確認し、基本的には、素材と同じか同等の設定で出力するようにしましょう。

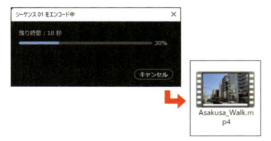

8 「書き出し」を実行する

設定内容を確認したら、「書き出し」をクリックします。ファイルの書き出しが開始されます。

9 動画ファイルが出力される

動画ファイルを生成するエンコード作業が終了すると、指定したフォルダーに動画ファイルが出力されます。

POINT　Apple ProResなどの出力方法を追加する

H.264コーデック以外に、たとえば「ProRes」などのファイル形式でも出力したいという場合は、出力方法を追加することができます。メディアファイルの右にある「・・・」❶をクリックし、メニューから「複製」を選択します❷。新しく「メディアファイル」が登録されるので、右側のボタンを有効にし❸、「設定」で利用したい形式に設定します。

なお、ProResの設定は、「形式」で「QuickTime」を選択し❹、「ビデオ」をクリックします❺。設定項目が展開されるので、「ビデオコーデック」で利用したいProResのタイプを選択します❻。

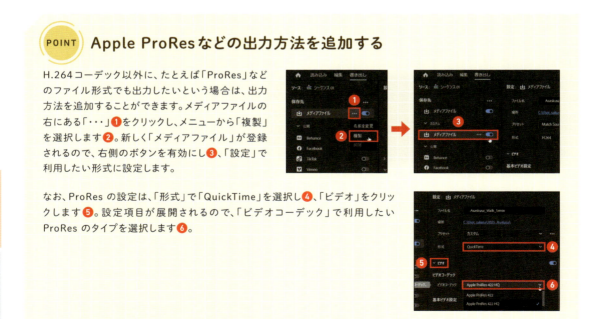

Section 03 Media Encoderから出力する

Premiere Proでは、Premiere Pro本体のインストールと同時にファイル出力専用ソフト「Media Encoder」がインストールされます。これを利用すると、動画ファイルの出力とPremiere Proでの同時に編集作業が行えます。

Media Encoderに転送する

「Media Encoder」は、動画ファイルやオーディオファイルを出力するための専用ソフトで、Premiere Proで設定した動画ファイルを出力することができます。Premiere Proから動画ファイルを出力すると、出力処理中は他の編集作業ができなくなりますが、Media Encoderから出力すると、出力処理中でもPremiere Proでの編集作業を続けることができます。Premiere ProからMedia Encoderに出力設定を転送してみましょう。

1 「Media Encoderに送信」をクリックする

P.164の方法でソース、設定などを行ったら、右下にある「Media Encoderに送信」をクリックします。

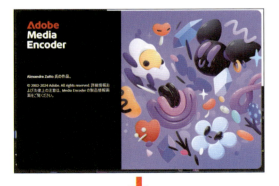

2 Media Encoderが起動する

Media Encoderが起動し、転送したPremiere Proの出力設定が「キュー」に登録されます。なお、「キュー」というのは「合図」や「出力の合図」というような意味で、深い意味はありません。

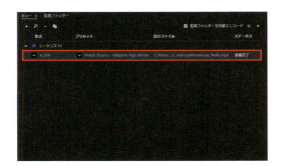

3 設定を確認、変更する

転送された出力設定は、Media Encoder上でも変更できます。出力設定を変更する場合は、Media Encoderに登録された設定名をクリックします。

4 プリセットを選択する

「v」をクリックすると、メニューからプリセットを選択できます。

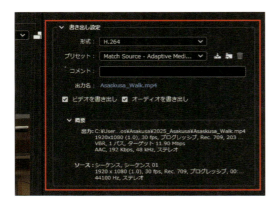

5 書き出しの設定を行う

表示された設定名をクリックすると、Premiere Proの「書き出し設定」パネルが表示され、書き出しの設定を行うことができます。

> **POINT　出力設定を削除する**
>
> 不要になった出力設定は、削除することができます。削除したい登録名をクリックし❶、Delete キーを押します。メッセージが表示されるので、「はい」をクリックします❷。

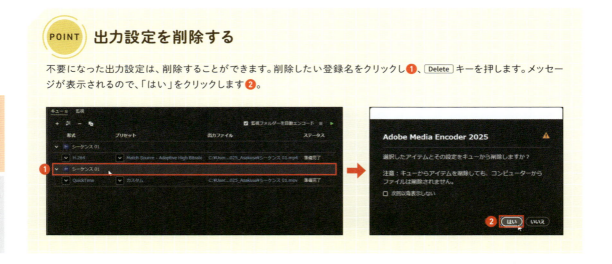

Media Encoderから動画ファイルを出力する

それでは、Media Encoderから動画ファイルを出力してみましょう。

1 「キューを開始」をクリックする

P.165の方法で出力設定を登録し、キュー一覧の右上にある緑色の「キューを開始」をクリックします。

2 出力作業が実行される

出力作業が開始されます。画面右下の「エンコーディング」に、出力状況が表示されます。

3 出力が完了する

動画ファイルが出力されると、キュー一覧の「ステータス」に「完了」と表示されます。

POINT レンダリングについて

動画ファイルの出力作業で、「レンダリング」や「エンコード」という言葉を目にすることがあります。エンコードとは、動画や音声データを圧縮する作業のことをいいます。これに対してレンダリングは、動画ファイルの出力作業のことを指しています。動画の編集では、映像、音声、テキスト、画像など、さまざまなデータ形式を利用しています。これらのデータのファイル形式を合わせて、1つの動画ファイルとして出力する作業のことを「レンダリング」といいます。

POINT シーケンスは上から順に出力される

複数のシーケンスを出力する場合は、同時に出力されるのではなく、上から順番に出力されます。右の画面では、3本のシーケンスがキューに登録されています。キューを開始すると、最初に1番目が出力されます。次に2番目の出力が開始され、3番目は待機しています。このように、複数の出力設定がある場合は、上から順に出力されていきます。

複数のシーケンスがある場合、上から順に出力されていく。

Section 04 YouTubeに動画をアップロードする

Premiere Proで編集したプロジェクトは、Premiere ProからYouTubeに直接アップロードし、公開することができます。Facebook、Vimeoなどにも、同様の方法でアップロードと公開ができます。

YouTubeにアップロードする

編集が終了したプロジェクトは、Premiere ProからYouTubeなどのSNSにアップロードし、公開することができます。ただし、事前にYouTubeなどのアカウントを取得しておく必要があります。

1 YouTubeを選択する

Premiere Proを「書き出し」画面に切り替え❶、出力先として「YouTube」の右側にあるボタンを有効にします❷。

2 設定を行う

「設定」で、ファイル名や保存場所、プリセットなどを設定します。YouTubeにアップロードする場合、「プリセット」は高画質の「Match Source - Adaptive High Bitrate」を選択します。「形式」は、H.264、H.265などを選択します。Windowsからのアップロードでも、H.265で問題ありません。

3 サインインする

「パブリッシュ」の設定パネルが展開されているので、「サインイン」❶をクリックしてアドレスやパスワード❷を入力し、YouTubeにサインインします。このとき、Media EncoderがGoogleへのアクセスを求めてくるので、「続行」❸をクリックします。Premiere Proに画面を切り替えると、サインインしたことを示す「サインアウト」表示❹と「チャンネル」にチャンネル名❺が表示されます。

4 公開情報を設定する

公開に必要な情報を入力します。「タイトル」や「プライバシー設定」など、最低限必要な項目のみの入力でかまいません。公開情報は、後からYouTubeにログインして変更できます。設定が終了したら、「書き出し」画面の右下にある「書き出し」をクリックします。

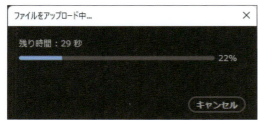

5 書き出しが実行される

エンコードが実行され、出力されたファイルが YouTube に自動的にアップロードされます。

6 YouTube で確認する

アップロードされた動画を、YouTube で確認します。

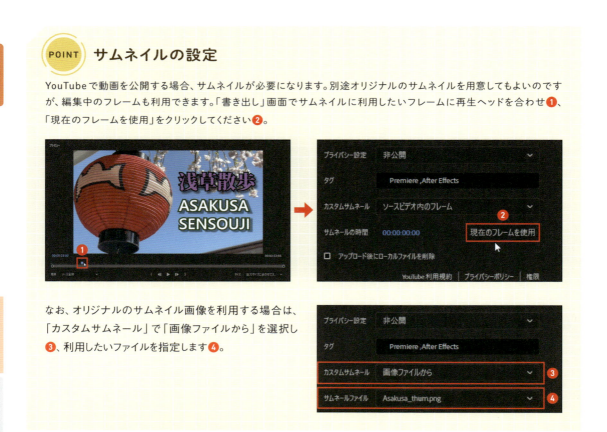

POINT サムネイルの設定

YouTube で動画を公開する場合、サムネイルが必要になります。別途オリジナルのサムネイルを用意してもよいのですが、編集中のフレームも利用できます。「書き出し」画面でサムネイルに利用したいフレームに再生ヘッドを合わせ❶、「現在のフレームを使用」をクリックしてください❷。

なお、オリジナルのサムネイル画像を利用する場合は、「カスタムサムネール」で「画像ファイルから」を選択し❸、利用したいファイルを指定します❹。

Chapter

7

After Effects 編

After Effects の基本を知る

Section 01 After Effectsでできること

「After Effectsって何ができるソフトなのですか?」とよく聞かれます。かんたんにいえば、モーショングラフィックスとビジュアルエフェクトを実現するためのアプリケーションということになります。

After Effectsで何ができるのか?

「After Effects」は、映像に対してモーショングラフィックスを設定・実現したり、ビジュアルエフェクト（VFX：visual effects）を設定したりするためのアプリケーションです。また、映像の合成にも長けており、TVや映画、CMなどの制作現場で、モーショングラフィックスなどを作成するための標準的なツールとして利用されています。

≫ モーショングラフィックス機能

「モーショングラフィックス」とは、写真やイラスト、図形などに動きを設定し、アニメーションを実現する映像表現のテクニックです。アニメーションの対象は図形やイラストに限らず、「文字」もまた対象になります。たとえばムービーのメインタイトルにアニメーションを設定することで、インパクトのあるタイトルが作成できます。

メインタイトルにアニメーションを設定した。

≫ ビジュアルエフェクト機能

After Effectsのビジュアルエフェクト機能は、映像の色補正のようなカラーグレーディングはもちろんのこと、光や炎などの特殊効果を映像に合成する機能です。本書でも、さまざまなエフェクトを利用した映像の制作方法を解説しています。

映像をセピアカラーに演出した。

≫ 合成機能

After Effectsの合成機能は非常に高機能で、映画やCM制作の現場で、合成のための標準ツールとして利用されています。合成が難しいような映像でも、かんたん、きれいに仕上げてくれます。

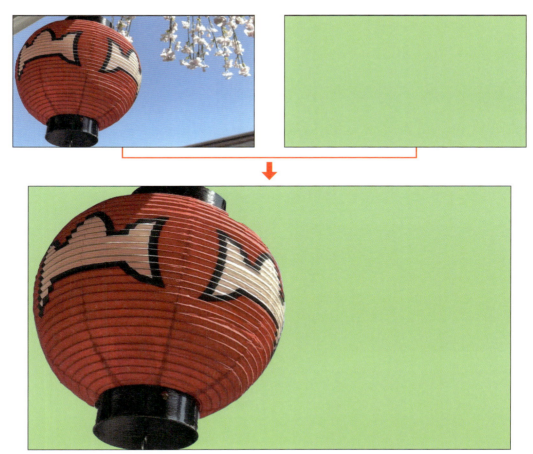

2つの映像を合成した例。

175

Section 02 After Effectsの ワークフロー

After Effectsのワークフローは、利用目的が異なっても基本的な流れは共通です。ここでは、一般的なAfter Effectsのワークフローを解説します。

After Effectsのワークフロー

After Effectsで映像にエフェクトを設定する、あるいはタイトルアニメーションを作成するといった場合、ここで紹介する基本的な流れに従って作業を進めます。今、自分は何をしているのか、次に何をすればよいのかを理解して作業しましょう。

1 「新規プロジェクト」を作成する

After Effectsを起動すると、ホーム画面が表示されます。「新規プロジェクト」をクリックします。

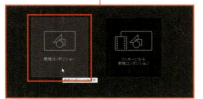

2 新規コンポジションを選択する

After Effectsの編集画面が表示されます。「新規コンポジション」をクリックします。

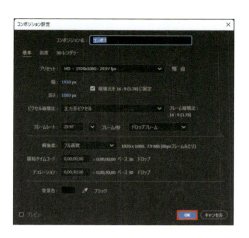

3 新規コンポジションを設定する

「コンポジション設定」パネルが表示されるので、これから作成するコンポジションを設定します。コンポジションとは、演劇でいうところの「舞台」に相当するものです。なお、コンポジションはあとから作成することもできます。

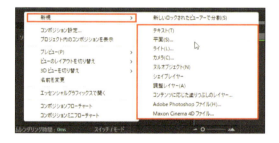

4 フッテージを読み込む

After Effectsでは、編集に利用する素材のことを「フッテージ」と呼んでいます。コンポジション内で映像などのデータを利用したい場合は、これをフッテージとしてプロジェクトに読み込みます。

5 レイヤーを設定する

After Effectsでテキストを利用する、図形を作成する、あるいはライト機能やカメラ機能を利用するといった場合、それぞれが利用する「レイヤー」を設定します。テキストならテキストレイヤー、図形を利用するならシェイプレイヤーと、作業に応じてレイヤーを設定します。

6 フッテージを配置する

レイヤーの設定ができたら、このレイヤーに対して素材（フッテージ）を配置します。たとえば、テキストレイヤーには文字を入力、シェイプレイヤーには図形を描くなどの作業を行います。さらに映像のフッテージをレイヤーとして配置すると、テキストを入力したテキストレイヤーなどとの合成が行われます。

7 アニメーションを設定する

レイヤーには、プロパティと呼ばれるさまざまな属性が備えられています。このプロパティとキーフレームを併用することで、フッテージを使ってアニメーションを作成することができます。

8 エフェクトを設定する

アニメーションの基本的な設定ができたら、必要に応じてプロパティの調整やエフェクトの追加、フッテージの追加と合成などを行います。

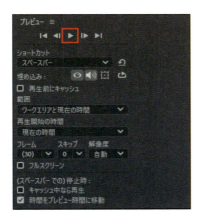

9 プロジェクトをプレビューする

エフェクトやアニメーションが設定できたら、設定した内容をプレビューで確認します。プレビューの速度や画質などは、利用するPCのスペックに左右されます。

10 動画ファイルとして書き出す

編集作業を終了したら、「ファイル」→「書き出し」から動画出力専用ソフトの「Media Encoder」を起動し、動画ファイルを出力します（P.330）。また、Dynamic Link機能を利用すると、コンポジションをPremiere Proのプロジェクトに転送し、クリップとして利用することができます（P.340）。

1つのプロジェクトで複数のコンポジションを管理する

After Effectsのプロジェクトでは、1つのプロジェクトの中で複数のコンポジションを利用できます。Premiere Proでいえば、1つのプロジェクトで複数のシーケンスを利用できるのと同じです。

たとえば以下の画面では、1つのプロジェクトの中に4つのコンポジションを設定し、利用しています。この場合、タイムラインではコンポジションごとにレイヤーを切り替えて表示・編集を行います。またコンポジションには、ほかのコンポジションを1つのレイヤーとして配置することができます。これを「プリコンポーズ」といい、いわばコンポジションの入れ子になります（P.322）。

1つのプロジェクトで複数のコンポジションを設定・管理できる。

タイムラインでは、コンポジションごとにレイヤーを切り替えて編集を行う。

Section 03 After Effectsの画面構成

After Effectsの編集画面は、さまざまなパネルで構成されています。これらのパネルの特徴を理解することが、スムーズな編集作業には大切です。

After Effectsの編集画面

After Effectsの編集画面は、パネルの組み合わせによって構成されています。なお、macOS（Mac）版の編集画面は、Windows版と同じ構成です。また、WindowsとmacOSでプロジェクトファイルの互換性もあります。

❶ **メニューバー**
After Effectsのコマンドを表示し、選択／実行します。

❷ **「ツール」パネル**
フッテージを編集するための各種ツールを選択するパネルです。

❸ **「ワークスペース切り替え」ボタン**
作業内容に応じてワークスペースを切り替えるボタンです。

❹ **「プロジェクト」パネル**
編集に利用するフッテージを管理するパネルです。フッテージのほか、コンポジションも同時に管理します。

❺ **「コンポジション」パネル**
After Effectsで編集中の状態を表示するための「舞台」です。目的に応じて、レイヤーの映像を確認する「レイヤー」パネルと、フッテージの内容を確認する「フッテージ」パネルに切り替わります。

❻ **「タイムライン」パネル**
After Effectsでは、「タイムライン」パネルにコンポジションを開き、そのコンポジションにフッテージを配置することによって編集作業を行います。「タイムライン」パネルに開いたコンポジションは、レイヤーのための領域（左）と、キーフレームを設定するタイムライン（右）とで構成されています。

❼ **各種パネルグループ**
複数のパネルがグループ化されています。現在マウスポインターを置いている位置のピクセル情報や座標情報を表示する「情報」パネル、コンポジションをプレビューするための「プレビュー」パネルなど、複数のパネルで構成されています。またパネルは、作業内容に対応したパネルがアクティブに表示されます。たとえば、文字を編集する場合には「文字」パネルが表示され、文字編集に必要なオプションを利用できます。また、エフェクト設定モードでは、利用できるエフェクトやプリセットを選択するメニューが表示されます。

「ツール」パネルのツール

「ツール」パネルには、以下のようなツールが用意されています。

① 「ホーム」ボタン
② 「選択」ツール
③ 「手のひら」ツール
④ 「ズーム」ツール
⑤ 「カーソルの周りを周回」ツール
⑥ 「カーソルの下でパン」ツール
⑦ 「カーソルに向かってドリー」ツール
⑧ 「回転」ツール
⑨ 「アンカーポイント」ツール
⑩ 「長方形」ツール
⑪ 「ペン」ツール
⑫ 「横書き文字」ツール
⑬ 「ブラシ」ツール
⑭ 「コピースタンプ」ツール
⑮ 「消しゴム」ツール
⑯ 「ロトブラシ」ツール
⑰ 「パペット位置ピン」ツール

パネルグループの操作

After Effectsでは、ほかのCreative Cloudのアプリケーションと同様、グループパネルを利用しています。編集画面を構成するパネルは、サイズや表示位置を自由にアレンジできます。またパネルのタブをドラッグすると、別のパネルと組み合わせたり、表示場所を変更したりできます。

STEP 1 パネルとパネルの境界線にマウスポインターを合わせると、マウスポインターの形が変わります。

STEP 2 マウスをドラッグすると、パネルのサイズを自由に変更できます。

STEP 3 パネルのタブをドラッグし、ほかのパネルが表示されている部分にドラッグ＆ドロップすると、パネルの表示位置を変更できます。

STEP 4 パネルのサイズや表示位置を変更した後、デフォルトの状態に戻す場合は、ワークスペース切り替えボタンの名前をダブルクリックし、表示されたメッセージで「リセット」をクリックするか、名前の右側にある3本ライン（ハンバーガーメニュー）をクリックし、「保存したレイアウトにリセット」を選択します。
また、メニューバーから「ウィンドウ」→「ワークスペース」→「○○を保存されたレイアウトにリセット」でも戻せます。

Section 04 After Effects の環境設定

After Effectsを利用するにあたって、設定しておきたい環境設定について解説します。特に注意するべき設定としては、「自動保存」があります。もしもの時に備えて、しっかりと設定しておきましょう。

環境設定のパネルを表示する

「環境設定」パネルでは、After Effectsを快適に利用するための各種設定を行うことができます。「環境設定」パネルは、Windowsの場合「編集」→「環境設定」→「一般設定」を選択して表示します。macOSの場合は、「After Effects」→「設定」→「一般設定」を選択して表示します。

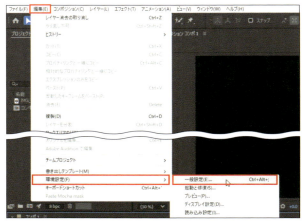

「環境設定」パネルを表示する。

ディスクキャッシュの設定

従来のAfter Effectsには、快適なプレビューを行うためのRAMプレビューという機能がありました。現在のバージョンでは、この機能が通常のプレビュー機能に組み込まれています。そのため、より快適なプレビューを実現するためには、ディスクキャッシュ用のフォルダーをSSDなど高速なドライブに設定することがポイントになります。「環境設定」パネルの「メディア&ディスクキャッシュ」で「最大ディスクキャッシュサイズ」の数値を大きくすると、パフォーマンスがアップします。

最大ディスクキャッシュの値を設定する。

アピアランスの変更

環境設定の「アピアランス」では、After Effectsの編集画面の明るさを調整できます。After Effectsの編集画面はデフォルトで「最も暗い」に設定されていますが、「暗」「ライト」などの明るさを選択できます。

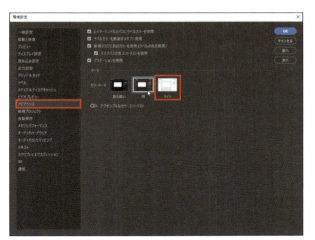

「アピアランス」の「明るさ」で、編集画面の明るさを変更した。

自動保存の設定

After Effectsのプロジェクトファイルを自動的に保存するための設定が「自動保存」です。デフォルトでは「保存の間隔」が20分に設定されていますが、After Effectsに慣れるまでは、これを「5分」程度に設定しておくことをおすすめします。
また「プロジェクトバージョンの最大数」は、「5」でよいでしょう。これによって、新しいプロジェクトファイルが自動保存されると、一番古いプロジェクトファイルは自動的に削除され、常時5個のプロジェクトファイルが自動保存された状態で利用できます。設定ができたら、「OK」をクリックします。なお、プロジェクトバージョンについては、P.201を参照してください。

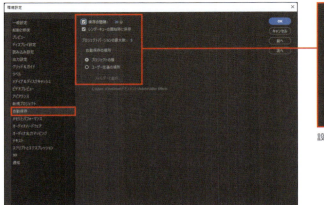

「自動保存」の設定。

設定内容を変更する。

Section 05 After Effects の起動とコンポジションの設定

After Effectsで編集を行う場合、最初にAfter Effectsを起動して新規プロジェクトを作成します。続いて新規コンポジションを設定して、編集作業を開始します。

After Effects のホーム画面

After Effectsを起動すると、ホーム画面が表示されます。この画面では、新しいプロジェクトを作成する場合と、既存のプロジェクトを編集する場合とで操作が異なります。

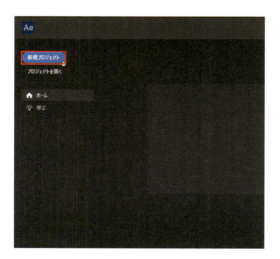

1 新しいプロジェクトを作成する場合

新しくプロジェクトを作成して編集を開始する場合は、After Effectsを起動すると表示されるホーム画面で、「新規プロジェクト」をクリックします。

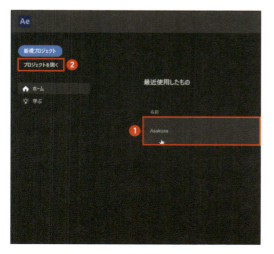

2 既存のプロジェクトを編集する場合

既存のプロジェクトを編集する場合は、「最近使用したもの」の一覧に表示されているプロジェクト名から、利用したいプロジェクトをクリックします❶。

なお、一覧に表示されていないプロジェクトを利用したい場合は「プロジェクトを開く」をクリックし❷、利用したいプロジェクトファイルを選択します。

コンポジションを設定する

ホーム画面で「新規プロジェクト」をクリックすると、After Effectsの編集画面が表示されます。はじめて編集を開始する場合は、画面中央にある「新規コンポジション」をクリックします。あるいはメニューバーから「コンポジション」→「新規コンポジション」を選択するか、「プロジェクト」パネルで右クリックして、「新規コンポジション」を選択してください。
すると「コンポジション設定」パネルが表示されるので、これから編集するデータ形式に合わせたコンポジションの設定を行います。たとえばフルハイビジョンのファイル形式に合わせたコンポジションは、次のように設定します。

≫「基本」タブの設定

コンポジション設定には、「基本」と「高度」「3Dレンダラー」の3つのタブがあります。このうち「基本」タブでは、これから編集するファイル形式に合わせた設定を行います。設定ができたら、「OK」をクリックします。

❶コンポジション名
コンポジションの名前を入力します。デフォルトで「コンポ1」と表示されているので、このまま利用してもかまいません。コンポジション名は後からでも変更できます。

❷プリセット
編集で利用する動画データなどのファイル形式に合わせたフレームサイズを設定します。右にある「v」をクリックすると、利用する動画ファイルに対応したプリセットを選択できます。

❸ピクセル縦横比
フレームを構成する画素（ピクセル）の縦横比を選択します。通常は1:1の正方形ですが、それ以外にAVCHDのアナモルフィックをはじめ、さまざまな規格があります。「v」をクリックすると、プリセットを選択できます。

❹フレームレート
1秒間に表示するフレームの数を設定します。AVCHDなどの一般的な動画は、「29.97」を選択します。なお「フィールドレンダリング」といって、TVでの利用を前提とした走査線によるレンダリングを行う場合は、「59.94」を選択します。「v」をクリックして、選択できます。

❺ 解像度

編集中に表示するプレビューの画質を選択します。「v」をクリックして選択できます。

❼ 背景色

設定したコンポジションの背景色を選択します。デフォルトでは「黒」ですが、変更したい場合はカラーボックスをクリックして「カラーピッカー」を表示し、色を指定します。

❻ デュレーション

これから作成するムービーの長さを設定します。長さは、タイムコード（P.11）で指定します。たとえば5秒のムービーを作成したい場合は、「0;00;05;00」と設定します。

≫「高度」タブの設定

「高度」タブでは、レンダリング時に利用するレンダラーを選択できます。基本的にデフォルトの設定のままで利用しますが、「レイトレース 3D レンダラー」などを利用したい場合は、「高度」タブで設定します。なお、後からの変更も可能です。

≫「3D レンダラー」タブの設定

After Effectsの3D機能によって3D表現を行う場合、「3Dレンダラー」タブで、3Dレンダリングを行うレンダラーを選択することができます。これは、レンダラーによって3Dレイヤーで利用できる機能が異なるからです。レンダラーの選択は、「v」をクリックしてメニューから選択します。

POINT 3Dレンダラーについて

3D形式でデータを表示するには、2Dの表示にはないさまざまな計算処理が必要になります。この3D表示用の計算を行うプログラムが「3Dレンダラー」です。After Effectsには2種類の3Dレンダラーが搭載されており、それぞれのレンダラーによって利用できるオプションが異なります。

コンポジションの再設定

編集の開始後、コンポジションの設定を変更したい場合は、「プロジェクト」パネルでコンポジションを選択し、メニューバーから「コンポジション」→「コンポジション設定」をクリックします。「コンポジション設定」パネルが表示されるので、設定内容を変更します。

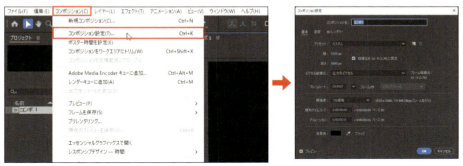

「コンポジション」→「コンポジション設定」からコンポジションの設定を変更する。

プロジェクトの保存

コンポジションを設定できたら、編集作業を開始する前に、プロジェクトを一度保存しておきましょう。ここで保存しておけば、After Effectsでの作業開始直後にハングアップしても、編集を再開できます。

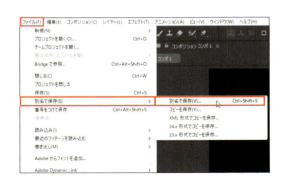

1 「別名で保存」を選択する

はじめてプロジェクトを保存する場合は、メニューバーから「ファイル」→「別名で保存」→「別名で保存」をクリックします。一度保存を実行した後は、「ファイル」→「保存」をクリックすると、プロジェクトファイルが上書き保存されます。

2 ファイル名を設定する

プロジェクトを保存するための「別名で保存」ダイアログボックスが表示されます。保存先フォルダーを選択してファイル名を入力し、「保存」をクリックします。

なお、保存されたプロジェクトファイルをダブルクリックすると、プロジェクトの内容を読み込みながらAfter Effectsを起動できます。

Section 06 フッテージを読み込む

コンポジションを設定してプロジェクトの準備ができたら、編集で利用する素材を「プロジェクト」パネルに読み込みましょう。After Effectsでは、素材のことを「フッテージ」と呼んでいます。

動画ファイルをフッテージとして読み込む

After Effectsでは、映像や静止画、オーディオデータなど、さまざまデータを素材（フッテージ）として利用できます。最初に、それらの素材を読み込んでおきましょう。

≫ メニューバーから読み込む

一般的なフッテージの読み込み方法は、メニューバーの「ファイル」メニューから読み込む方法です。

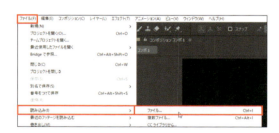

1 フッテージを読み込む

メニューバーから「ファイル」→「読み込み」→「ファイル」をクリックします。なお、メニューに「複数ファイル」という項目がありますが、これは「ファイル」と基本的に同じです。

2 ファイルを選択する

「ファイルの読み込み」ダイアログボックスが表示されるので、利用したいファイルを選択します。複数のファイルを選択する場合は、Ctrlキーや Shiftキーを押しながらクリックします。ファイルを選択したら、「読み込み」をクリックします。

3 フッテージが登録される

選択した動画ファイルが、「プロジェクト」パネルにフッテージとして登録されます。

≫「プロジェクト」パネルから読み込む

メニューバーを利用せず、「プロジェクト」パネルからファイルを選択して読み込むこともできます。

1　ダブルクリックする

「プロジェクト」パネル内の、フッテージがないところでダブルクリックします。

2　ファイルを選択する

「ファイルの読み込み」ダイアログボックスが表示されるので、ファイルを選択して「読み込み」をクリックします。選択したファイルが、フッテージとして読み込まれます。

≫ドラッグ&ドロップで読み込む

フッテージは、ドラッグ&ドロップでも読み込めます。利用したいファイルが保存されているフォルダーを開き、そのフォルダーから「プロジェクト」パネルに、ファイルをドラッグ&ドロップして読み込みます。

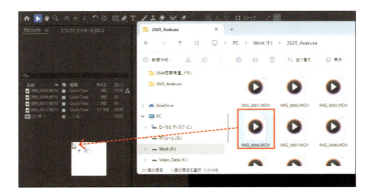

POINT　サムネイル表示

動画データの場合、ファイルの拡張子によっては、ファイルの読み込みウィンドウでサムネイルが表示されるタイプ、されないタイプがあります。本書のサンプルデータは「.MOV」のため、サムネイルが表示されません。しかし、拡張子が「.mp4」や「.MTV」などの場合は、サムネイルが表示されます。

Section 07 レイヤーについて理解する

After Effectsを利用するには、「レイヤー」について理解することが重要です。レイヤーを理解すれば、After Effectsのほぼ80％は理解できたようなものです。

レイヤーの種類

After Effectsで利用するレイヤーには、データの種類に応じてレイヤーのタイプを使い分けるという特徴があります。たとえば、文字データを扱うには「テキストレイヤー」を利用し、図形を扱うには「シェイプレイヤー」を利用します。ここで、主なレイヤーの種類を確認しておきましょう。

≫ フッテージのレイヤー

動画データ、オーディオデータなど、「プロジェクト」パネルにフッテージとして取り込んだ素材を「タイムライン」パネルに配置すると、フッテージのレイヤーが自動的に設定されます。ユーザーが特にレイヤー設定を行う必要はありません。

≫ テキストレイヤー

テキストレイヤーは、テキストデータを扱うためのレイヤーです。文字を入力して編集する場合は、テキストレイヤーを利用します。テキストレイヤーの場合、レイヤーの種類を設定していなくても、コンポジション画面で文字を入力すれば自動的にテキストレイヤーが設定されます。

≫ シェイプレイヤー

シェイプレイヤーは、図形を扱うためのレイヤーです。図形を利用してアニメーションを作るなど、図形を編集するにはシェイプレイヤーが必要になります。

≫ 平面レイヤー

プロジェクトに背景を設定する時に利用するレイヤーです。背景に色を設定し、その上にテキストレイヤーを重ねて文字を表示する時などに利用します。

≫ カメラレイヤー／ヌルオブジェクト／ライトレイヤー／調整レイヤー

カメラやライトなどを利用したアニメーションを作成する時に利用するレイヤーです。また、フッテージに対してエフェクトを設定する際には、調整レイヤーを利用します。

フッテージからレイヤーを作成する

動画データやオーディオデータなど、「プロジェクト」パネルに読み込んだフッテージを「タイムライン」パネルにドラッグ＆ドロップして配置すると、フッテージのレイヤーが自動的に作成されます。

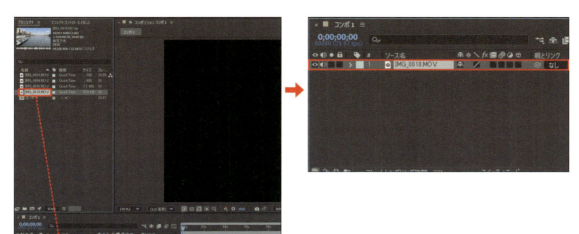

「タイムライン」パネルにフッテージをドラッグ＆ドロップしてレイヤーを作成する。

右クリックでレイヤーを作成する

テキストやシェイプ（図形）など、After Effectsの中で作成する素材に対しては、「タイムライン」パネルのレイヤーエリアで右クリックし、作成するデータタイプに応じたレイヤーを選択して作成します。たとえばテキストを扱うテキストレイヤーは、次のように作成します。

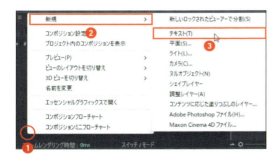

1 レイヤーの種類を選択する

「タイムライン」パネルのレイヤーエリアで右クリックし❶、表示されたメニューで「新規」をクリックします❷。サブメニューが表示されるので、追加したいレイヤーの種類を選択します。ここでは「テキスト」をクリックします❸。

2 レイヤーが作成される

「タイムライン」パネルに、「T＜空白のテキスト＞」というテキストレイヤーが追加されます。レイヤーには、レイヤーの種類によって色が設定されます。色は「環境設定」パネルの「ラベル」で変更できます。

レイヤーを重ねて表示する

After Effectsでは、文字や図形を表示するための「背景」としてレイヤーを利用します。そしてこれらのレイヤーを重ねることで、1つのフレームとして表示しています。下の画面では、「シェイプレイヤー」「テキストレイヤー」「映像用レイヤー」の3つのレイヤーを重ねることで、フレームを表示しています。After EffectsのレイヤーはPremiere Proの「トラック」に似ていますが、Premiere Proでは1つのトラックに複数のクリップを配置できるのに対し、After Effectsの1つのレイヤーには1つのフッテージしか配置できません。

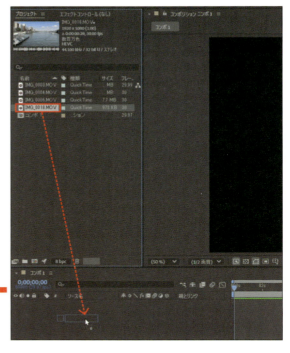

複数のレイヤーを重ねることでフレームが表示される。

レイヤーの順番を変更する

レイヤーの利用で注意しなければならないのが、レイヤーの順番です。パネルでレイヤーの順番を変えると、表示されるフッテージと表示されないフッテージが出てきます。

1 レイヤーを確認する

左の画面では、上から「シェイプレイヤー」「テキストレイヤー」「フッテージ（動画）」の順番にレイヤーを重ねて表示しています。

2 シェイプレイヤーを移動する

一番上にあるシェイプレイヤーをドラッグして、上から2番目に移動します。レイヤーの移動は、レイヤーを選択して「ソース名」の部分をドラッグして行います。レイヤーをドラッグすると、移動先に青いラインが表示され、挿入位置を確認できます。シェイプレイヤーがテキストレイヤーの下に配置されたので、星形の図形が文字の下に移動します。「コンポジション」パネルでは、上のレイヤーが下のレイヤーより手前に表示されるためです。

3 フッテージのレイヤーを移動する

次に、上から3番目にある動画のフッテージレイヤーを一番上に移動してみましょう。今度は動画のフッテージが一番上に表示されるので、文字や図形が見えなくなります。

Section 08 レイヤーを編集する

レイヤーには、それぞれタイムラインが設定されています。このタイムライン上でレイヤーをトリミングしたり、分割、コピーしたりすることができます。また、不要なレイヤーは削除できます。

レイヤーを編集する

レイヤーでは、プロジェクトのデュレーションに合わせて、レイヤーのデュレーションも設定されます。たとえばタイトル文字などを設定すると、映像のフッテージと同じデュレーションに設定されます。なお、レイヤーを「デュレーションバー」とも呼びます。レイヤーは、次のような機能で構成されています。なお After Effects では、Premiere Pro の「再生ヘッド」に相当するスライダーを、「現在時間インジケーター」と呼んでいます。本書では、略して「時間インジケーター」と表記しています。

1. レイヤーのソース名
2. インポイント
3. アウトポイント
4. デュレーションバー
5. 現在時間インジケーター

レイヤーをトリミングする

レイヤーを特定の時間だけ表示させるには、レイヤーのデュレーションバーをトリミングします。

1 レイヤーを選択する

「タイムライン」パネルで、トリミングしたいレイヤーを選択します。レイヤーの選択は、レイヤーの「ソース名」か、タイムラインのデュレーションバーをクリックして行います。左の画面では、レイヤーのソース名をクリックしています。

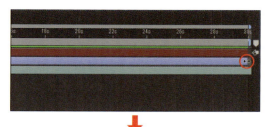

2　アウトポイントをドラッグする

レイヤーの終端を「アウトポイント」といいます。アウトポイントにマウスポインターを合わせると、マウスポインターの形が変わります。そのまま左にドラッグすると、レイヤーをトリミングできます。

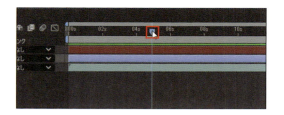

3　時間インジケーターをドラッグする

次に、時間インジケーターを任意の場所にドラッグします。この時、「コンポジション」パネルには、時間インジケーターの位置にあるフレームの映像が表示されています。

4　インポイントをドラッグする

レイヤーの先端を「インポイント」といいます。レイヤーのインポイントをドラッグすると、レイヤーをトリミングできます。ドラッグ先の位置が時間インジケーターに近づくと、時間インジケーターにスナップ（吸い付く）します。

POINT　移動や削除などの操作を取り消す

レイヤーに対して行った操作を取り消したい場合は、以下のショートカットキーを利用してください。操作をさかのぼって取り消すことができます。また、操作をやり直すためのショートカットキーも覚えておくとよいでしょう。

機能	Windows	macOS
操作を取り消す	Ctrl + Z キー	command + Z キー
操作をやり直す	Ctrl + Shift + Z キー	command + Shift + Z キー

レイヤーを分割する

「タイムライン」パネルに配置したレイヤーは、任意の位置で分割できます。たとえば、同じレイヤーに複数のエフェクトを設定したい時などに、レイヤーを分割します。

1 分割位置を決める

分割したいレイヤーをクリックして選択します❶。「タイムライン」パネルの時間インジケーターをドラッグし❷、「コンポジション」パネルを見ながらレイヤーを分割したい位置を見つけます。

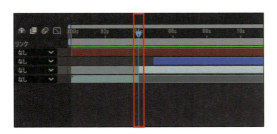

2 「レイヤーを分割」を選択する

メニューバーから、「編集」→「レイヤーを分割」をクリックします。

3 レイヤーが分割された

時間インジケーターの位置でレイヤーが分割され、2つのレイヤーができました。

POINT　ショートカットキーで分割する

レイヤーのデュレーションバーをショートカットキーで分割する場合は、以下のキーを利用します。

Windows	macOS
Ctrl + Shift + D キー	command + Shift + D キー

レイヤーを削除する

レイヤーが不要になったら、不要なレイヤーの「ソース名」をクリックして選択するか、ドラッグして複数レイヤーを選択し、Deleteキーを押します。これで、レイヤーを削除できます。以下の画面では、分割して不要になったレイヤーを削除しています。

不要なレイヤーを選択し、Deleteキーを押して削除した。

レイヤーを複製する

同じレイヤーが複数必要な場合は、レイヤーの複製を作成します。この場合、ショートカットキーを利用すると、すばやく操作ができます。タイムラインに配置したレイヤーの「レイヤー名」か、タイムラインのレイヤー部分をクリックして選択し、Ctrl+Dキーを押します。メニューバーから「編集」→「複製」を選択しても同じです。これで、複製したレイヤーが配置されます。

シェイプレイヤー1を複製し、シェイプレイヤー2を作成した。

レイヤーを移動する

「タイムライン」のレイヤーは、ドラッグして配置位置を移動できます。

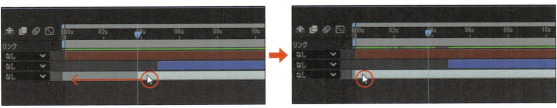

レイヤーをドラッグして位置を移動した。

Section 09 フッテージをコンポジションに配置する

「プロジェクト」パネルに読み込んだフッテージは、「タイムライン」パネルにレイヤーとして配置することで編集できるようになります。フッテージを「タイムライン」パネルに配置するには、複数の方法があります。

コンポジションにフッテージを配置する

P.188の方法で「プロジェクト」パネルに読み込んだフッテージを、「タイムライン」パネルに表示したコンポジションに配置してみましょう。配置方法には複数あり、ここでは3種類の方法を紹介します。

≫「タイムライン」パネルにドラッグ&ドロップする

「プロジェクト」パネルのフッテージを、「タイムライン」パネルに開いたコンポジション上にドラッグ&ドロップします。これで、コンポジションにフッテージが配置されます。
「タイムライン」パネルにまだコンポジションが開かれていない場合は、ドラッグ&ドロップしたフッテージ名で自動的にコンポジションが作成されます。

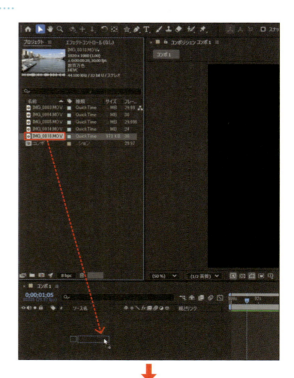

≫「コンポジション」パネルにドラッグ＆ドロップする

「プロジェクト」パネルのフッテージを、「コンポジション」パネルの中央にドラッグ＆ドロップします。これで、「タイムライン」パネルにフッテージが展開されます。

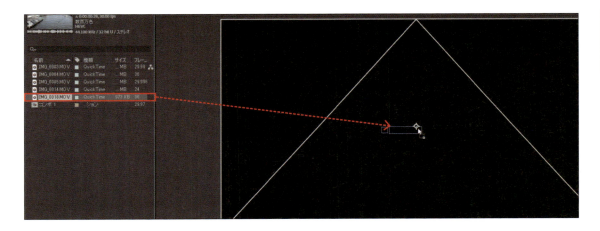

≫コンポジション上にドラッグ＆ドロップする

「プロジェクト」パネルのフッテージを、「プロジェクト」パネルのコンポジション「コンポ1」の上にドラッグ＆ドロップします。

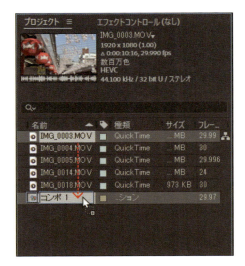

> **POINT**　「新規コンポジションを作成」ボタンの利用
>
> 「プロジェクト」パネルの下部には、「新規コンポジションを作成」ボタンがあります。このボタンの上にフッテージをドラッグ＆ドロップすると、新しいコンポジションを作成しながら、ドラッグ＆ドロップしたフッテージがレイヤーとして配置されます。これによって、コンポジションの作成とフッテージの配置が1回の操作で完了します。
>
>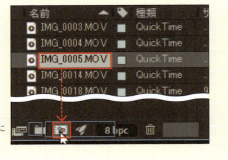
>
> 「新規コンポジションを作成」ボタンの上にフッテージをドラッグ＆ドロップする。

Section 10 コンポジションをプレビューする

After Effectsで編集中のコンポジションは、作業途中で設定状況をプレビューしながら編集を進めます。プレビューの実行には、「プレビュー」パネルを利用します。

コンポジションをプレビューする

After Effectsで編集中の設定内容を確認する機能が、「プレビュー」機能です。プレビューは、画面右にあるパネルグループから「プレビュー」パネルを開き、「再生/停止」ボタンをクリックして行います。

「プレビュー」パネルの「再生/停止」ボタンをクリックする。

POINT space キーで再生

キーボードの space キーを押すと、再生が開始されます。もう一度押すと、再生が停止されます。

Windows	macOS
space キー	space キー

プレビューを実行すると、再生を実行した部分のレンダリングが実行されます。レンダリングとは、映像とシェイプ(図形)やテキストを統合して、1本の動画データを作成する処理のことをいいます。レンダリング中は、実際の再生速度よりもやや遅い速度で再生されます。なお、マシンスペックやエフェクトの状態などによって、レンダリング速度は異なります。またレンダリングが実行された部分は、タイムラインに緑色のラインで表示されます。レンダリングが終了すると、実際の再生速度で再生されます。なお、レンダリングは再生する前でも、After Effectsが自動的にレンダリングを開始しています。

レンダリング中の画面。

Section 11 プロジェクトを保存する

After Effectsで編集中のプロジェクト、あるいは編集を終えたプロジェクトは、「ファイル」メニューから「保存」を選択し、プロジェクトの保存を実行します。なお、保存は定期的に行うことをおすすめします。

プロジェクトを保存する

After Effectsで編集途中のプロジェクト、あるいは編集を終えたプロジェクトは、メニューバーから「ファイル」→「保存」をクリックして保存します。

プロジェクトとしてはじめて保存する場合は、「別名で保存」ウィンドウが表示されるので、保存先のフォルダーを選択し❶、プロジェクトファイル名を入力します❷。「保存」をクリックすると❸、プロジェクトファイルが保存されます。

「保存」をクリックする。

保存されたプロジェクトファイル。

POINT プロジェクトファイルのバージョン数

P.183で解説した自動保存の設定を行っていると、「プロジェクトバージョンの最大数」は「5」に設定されています。自動保存されたプロジェクトファイルは、プロジェクトの保存先フォルダーに「Adobe AfterEffects自動保存」というフォルダーが作成され、その中に、指定した間隔で保存されたタイムスタンプのプロジェクトファイルが、指定した数だけ保存されています。
なお、新しいプロジェクトファイルが自動保存されると、一番古いプロジェクトファイルは自動的に上書きされ、常時5個のプロジェクトファイルが自動保存された状態で利用できます。

POINT After Effectsのショートカットキーを覚えておこう

After Effectsでは、コマンド操作を頻繁に行う必要があります。しかも目的のコマンドの階層が深く、目的のコマンドに到達するのが大変な場合も多くあります。このような場合にショートカットキーを利用すると、すばやい編集操作が可能になります。ここでは、After Effectsの主なショートカットキーをご紹介します。

● 知っていると便利なショートカットキー

機能	Windows	macOS
プレビュー	テンキーの [0]	テンキーの [0]
新規コンポジション作成	[Ctrl] + [N]	[command] + [N]
コンポジション設定	[Ctrl] + [K]	[command] + [K]
新規平面レイヤー作成	[Ctrl] + [Y]	[command] + [Y]
レイヤーのマスクを開く	[M]	[M]
レイヤーの不透明度を開く	[T]	[T]
レイヤーの位置を開く	[P]	[P]
レイヤーのアンカーポイントを開く	[A]	[A]
レイヤーの回転を開く	[R]	[R]
レイヤーのスケールを開く	[S]	[S]
レイヤーのオーディオレベルを開く	[L]	[L]
レイヤーの全キーフレームを開く	[U]（2度：ダブル[U]）※	[U]（2度：ダブル[U]）※
レイヤーのパラメーター全部を開く	[Ctrl] + [@]	[command] + [@]
レイヤーのパラメーターを追加で開く	[Shift] + ショートカットキー	[Shift] + ショートカットキー
プリコンポジション	[Ctrl] + [Shift] + [C]	[command] + [Shift] + [C]
1フレーム先に進む	[Ctrl] + [→]	[command] + [→]
1フレーム前に戻る	[Ctrl] + [←]	[command] + [←]
10フレーム先に進む	[Ctrl] + [Shift] + [→]	[command] + [Shift] + [→]
10フレーム前に戻る	[Ctrl] + [Shift] + [←]	[command] + [Shift] + [←]
1つ前のキーフレームに移動	[J]	[J]
1つ後ろのキーフレームに移動	[K]	[K]
レイヤーの複製	[Ctrl] + [D]	[command] + [D]
レイヤーを現在の時間で分割	[Ctrl] + [Shift] + [D]	[command] + [Shift] + [D]
選択しているパネルの全画面化	[@]	[@]

※ [U]キーを1回押すと、キーフレームのあるタイムラインのみが表示されます。2回押すと、キーフレームが設定されていなくても、他のレイヤーにキーフレームが設定されていれば同じオプションが表示されます。

Chapter

8

After Effects 編

テキストアニメーションを作成する

Section 01 テキストアニメーションを作成する

After Effectsでテキストを利用したアニメーションを作成する場合は、最初にアニメーション用のコンポジションを設定します。

テキストアニメーションを作成する

ここでは、テキストをアニメーションさせる方法について解説します。After Effectsでテキストをアニメーションさせるにはいろいろな方法がありますが、ここではもっともオーソドックスな次の方法について解説します。

- トランスフォームでアニメーションさせる
- アニメーターでアニメーションさせる
- パスでアニメーションさせる

最初に、これから作成するアニメーションに合わせて、新規にコンポジションを設定します。そのための情報が、以下になります。

- プリセット：HD・1920×1080・29.97fps
- 幅：1920px
- 高さ：1080px
  - ☐ 縦横比を16：9（1.78）に固定
- ピクセル縦横比：正方形ピクセル
- フレーム縦横比：16：9
- フレームレート：29.97 ドロップフレーム
- 解像度：フル画質
- 開始タイムコード：0：00：00：00
- デュレーション：10秒
- 背景色：ブラック

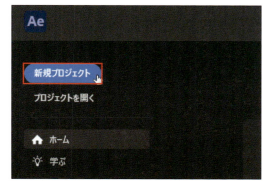

1 「新規プロジェクト」を選択する

新しくプロジェクトを作成する場合は、ホーム画面で「新規プロジェクト」をクリックします。既存のプロジェクトを利用する場合は、「最近使用したもの」一覧から利用したいプロジェクトを選択し、手順 2 から操作を始めてください。なお編集画面が表示されたら、一度プロジェクトを保存してください。メニューバーから「ファイル」→「別名で保存」→「別名で保存」を選択して保存します。「text-anime」などわかりやすい名前がおすすめです。

2 「新規コンポジション」を選択する

「プロジェクト」パネルのなにもないところを右クリックし、「新規コンポジション」をクリックします。あるいは、「プロジェクト」パネル下部の「新規コンポジション」ボタンをクリックするか、メニューバーから「コンポジション」→「新規コンポジション」を選んでもOKです。

3 新規コンポジションを設定する

「コンポジション設定」パネルが表示されます。「コンポジション名」には、コンポジションの目的がわかりやすい名前を設定します❶。「プリセット」の「v」をクリックし、プリセットを選択します。ここでは、「HD・1920×1080・29.97fps」を選択しています❷。設定のポイントは、AVCHDのフルハイビジョンに対応した設定を行っていることです。デュレーションは10秒に設定して❸、「OK」をクリックします❹。

4 新規コンポジションが登録される

設定したコンポジションが「プロジェクト」パネルに登録され❶、「コンポジション」パネルも表示されています❷。また、「タイムライン」パネルにはコンポジションが表示され、左上に「コンポ1」というタブが表示されています❸。なお、コンポジションの設定内容を再編集したい場合は、メニューバーから「コンポジション」→「コンポジション設定」をクリックします。

POINT デュレーションの設定方法

「コンポジション設定」ダイアログボックスの「デュレーション」の設定は、数値部分をクリックして「0:00:10:00」のように入力するのが一般的です。しかし、ここで入力されているタイムコードを削除し、「10.0」か「1000」と入力すると、「0:00:10:00」のように10秒と入力することができます。なお、デュレーションの入力後に Enter キーを押すと、すべての設定が確定してダイアログボックスが閉じられてしまいます。ほかの項目の設定も続けたい場合は Enter キーを押すのではなく、パネル内のなにもない部分をクリックしてください。

10秒は「1000」と入力する。

Section 02 テキストを入力する

After Effectsでテキストを入力する場合は、「テキストレイヤー」を追加します。また、テキストの入力は「コンポジション」パネルで行います。

テキストレイヤーを設定する

After Effectsでテキストを表示するためには、「テキストレイヤー」が必要です。テキストレイヤーは、次の方法で設定します。テキストレイヤーの場合、テキストレイヤーを選択しなくても、次ページにある「コンポジション」パネルでテキストを入力すると、自動的にテキストレイヤーが設定されます。

1 テキストレイヤーを追加する

「タイムライン」パネルで右クリックし、「新規」→「テキスト」をクリックします。または、メニューバーから「レイヤー」→「新規」→「テキスト」を選んでも同じです。

2 レイヤーが追加される

タイムラインに、テキストレイヤーが追加されます❶。また、ツールバーの「横書き文字」ツールが選択されて❷、「コンポジション」パネル中央に文字入力用のカーソルが表示されます❸。編集画面の右には、「プロパティ」パネルが表示され「文字」パネルが確認できます❹。

テキストを入力する

テキストレイヤーが設定できたら、テキストを入力します。テキストは、「コンポジション」パネルで入力・表示します。

1 テキストを入力する

「コンポジション」パネルで、テキストを入力します。なお、前回の作業でテキストを入力していると、その際の設定が引き継がれて表示されます。

2 テキストを確定する

テキストを入力したら、入力を確定します。この時、キーボードの Enter キーを押しても確定はできません。改行されるだけです。入力を確定するには、ツールバーで「選択」ツールに持ち替えてください。入力が確定し、文字の周囲にハンドルが表示されます。

テキストを中央に配置する

「コンポジション」パネルで入力したテキストを画面の中央に配置するには、「整列」パネルを利用します❶。ここで、「水平方向中央」❷と「垂直方向中央」❸をクリックすると、パネルの中央に配置されます。パネルグループに「整列」がない場合は、メニューバーから「ウィンドウ」→「整列」を選択すれば表示されます。

 グリッドを表示する

テキストなどの位置を決める場合、グリッドを表示すると配置しやすくなります。「グリッドとガイドのオプションを選択」❶から「グリッド」を選択すると❷、グリッドが表示されます❸。

Section 03 テキストをカスタマイズする

「コンポジション」パネルに入力したテキストは、「文字」パネルで文字サイズやフォント、文字色などをカスタマイズすることができます。

「文字」パネルでカスタマイズする

入力したテキストのカスタマイズは、「文字」パネルで行います。

カスタマイズ前。

カスタマイズ後。

1 文字サイズを変更する

文字サイズは、入力したテキストを「選択」ツールで選択し、「文字」パネルにある「フォントサイズを設定」の数値を変更して調整します。また、選択状態のテキストの周囲に表示されているハンドルをドラッグしても、サイズを変更できます。この時、Shiftキーを押しながらドラッグすると、縦横比を維持したまま文字サイズを変更できます。

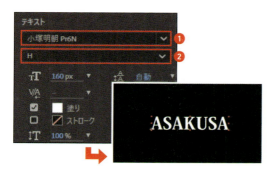

2 フォントを変更する

フォントは、「フォント」の「v」をクリックし、フォント名の一覧から選択します❶。選択したフォントによっては、「フォント」の下にある「フォントスタイル」で、フォントの太さを選択することができます❷。

なお、フォントによっては文字の大きさが変わるので、表示位置も変わります。その場合は、再度調整してください。

3 文字色を変更する

文字色を変更する場合は、文字色を変更したいテキストを選択し、「塗りのカラー」のカラーボックスをクリックして❶、「カラーピッカー」を表示します❷。ここで色を選択して「OK」をクリックすると❸、テキストの色が変更されます。

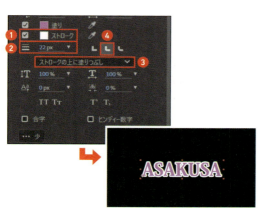

4 ストロークを設定する

「文字」パネルにある「ストローク」をオンにして色を設定すると❶、文字の輪郭線を設定できます。線の幅は、「線幅を設定」で調整します❷。また、「ストロークの上に塗りつぶし」をクリックし、塗りと線の順序を決めます❸。たとえば、線の幅を太くすると塗りの部分が狭くなってしまうような場合、「ストロークの上に塗りつぶし」を選択します。これで、塗りへの影響はなくなります。また、「ラウンドをライン結合」を選択すると❹、角の尖りがなくなります。

POINT Adobeフォントを利用する

Creative Cloudのアプリを管理する「Creative Cloud Desktop」にある「フォントを管理」を利用すると、Adobeが提供する数千を超えるフォントを無制限に利用できます。フォント名の右にある「v」をクリックし、フォント一覧の右上にある「Adobeフォントを追加」をクリックしてください。テキスト表現の幅を広げたいときに利用してください。

「Adobeフォントを追加」からフォントを追加する。

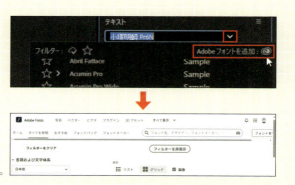

Section 04 テキストが移動するアニメーション

文字入力時に設定したテキストレイヤーには、「トランスフォーム」というプロパティが備えられています。このトランスフォームを利用することで、テキストが移動するアニメーションなどを作成できます。

トランスフォームを表示する

テキストレイヤーにあらかじめ用意されている「トランスフォーム」というプロパティを利用することで、テキストが移動するアニメーションを作成することができます。

テキストが左上から右下へ移動する。

1　プロパティを表示する

テキストを入力すると、レイヤー名の左にレイヤーの色を示すカラーボックスがあります。その左にある「v」をクリックすると、レイヤーがあらかじめ持っているプロパティ「テキスト」と「トランスフォーム」が表示されます。

2　プロパティのオプションを表示する

表示されたプロパティの左にある「>」をクリックすると、プロパティのオプションが表示されます。左の画面は、テキストレイヤーの「トランスフォーム」に備えられているオプションです。ここにあるオプションを利用して、テキストが移動するアニメーションを作成します。

「位置」を利用したアニメーションを作成する

「トランスフォーム」のオプション「位置」を利用して、テキストが移動するアニメーションを作成します。

1 テキストを選択する

「ツール」パネルで「選択」ツールを選び、テキストをクリックします。これでテキストが選択状態になり、ハンドルが表示されます。

2 アニメーションの開始時間を決める

タイムラインのレイヤーを選択し、時間インジケーターをドラッグして、アニメーションを開始する位置を決めます。左の画面では、先頭から1秒の位置「01:00f」に合わせています❶。「タイムライン」パネルの左上には、時間インジケーターの現在位置を示すタイムコードが表示されています❷。

3 アニメーションの開始位置を決める

テキストをドラッグして、アニメーションを開始したい位置に配置します。

4 アニメーションをオンにする

トランスフォームのオプション「位置」の先頭にあるストップウォッチをクリックすると、アニメーション機能が有効になります❶。同時に、時間インジケーターの位置にキーフレームが設定されます❷。

5 アニメーションの終了時間を決める

タイムラインの時間インジケーターをドラッグし、アニメーションを終了する位置に合わせます。画面では、5秒（05：00f）に合わせています。

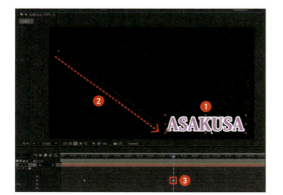

6 移動先での表示位置を決める

「コンポジション」パネルのテキストを、移動先にドラッグします❶。ここでは、テキストが移動して止まる位置に合わせています。この時「コンポジション」パネルには、テキストが移動するライン、「パス」が表示されます❷。また、タイムラインにはキーフレームが表示されます❸。

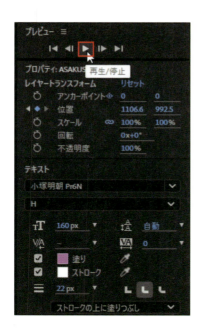

7 プレビューで動きを確認する

「プレビュー」パネルを表示し、「再生」ボタンをクリックして動きを確認します。左側のキーフレーム位置から再生すると、アニメーションが開始されてテキストが移動します。右側のキーフレームが再生されると、その位置でアニメーションが止まります。

POINT アニメーション作成のための5つのポイント

After Effectsでアニメーションを作成する場合、次の5つのポイントを押さえることで、必ずアニメーションを作成することができます。P.210で解説した移動のアニメーションを例に、確認してみましょう。❶と❷は、どちらが先でもかまいません。また、❶❷のブロックと、❹❺が逆でもかまいません。要するに終了の時間と位置を決めてからアニメーション機能をオンにし、開始の位置と時間を決めるという作成方法です。詳しくはP.210を参照してください。

❶ アニメーション開始の時間を決める
❷ アニメーション開始時のテキスト位置を決める
❸ アニメーション機能をオンにする
❹ アニメーション終了の時間を決める
❺ アニメーション終了時のテキスト位置を決める

❶ アニメーション開始の時間を決める

❷ アニメーション開始時のテキスト位置を決める

❸ アニメーション機能をオンにする

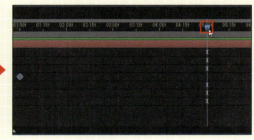
❹ アニメーション終了の時間を決める

❺ アニメーション終了時のテキスト位置を決める

Section 05 テキストサイズが変化するアニメーション

テキストのアニメーションでインパクトがあるのが、文字のサイズが変化するアニメーションです。文字サイズが変化するアニメーションは、トランスフォームにある「スケール」を利用して実現します。

アンカーポイントを移動する

テキストやシェイプ（図形）が変形、回転する場合の中心点、支点を「アンカーポイント」といいます。デフォルトではテキストの左下に設定されているので、「アンカーポイント」ツールを利用してテキストの中央に配置します。

1 アンカーポイントツールを選択する

「ツール」パネルから「アンカーポイント」ツールを選択します。

2 アンカーポイントを移動する

文字の左下にあるアンカーポイントを選択して、文字の中心にドラッグします。また、Ctrl キー（macOS：command キー）を押しながら「アンカーポイント」ツールをダブルクリックすると、自動的にテキストの中央にアンカーポイントが移動します。

「スケール」を利用したアニメーションを作成する

「トランスフォーム」オプションの「スケール」では、テキストのサイズをコントロールすることができます。以下の画面では、大きなサイズのテキストが徐々に小さくなるアニメーションを「スケール」で実現しています。

テキストが小さくなるアニメーション。

1 テキストを入力する

「コンポジション名」を「サイズ」などわかりやすい名前で新規コンポジションを作成し、テキストを入力します。画面では、フレームの中央に配置しています。アンカーポイントを、テキストの中央に配置します。

2 アニメーションの開始時間を決める

時間インジケーターをタイムラインの左端に移動し❶、テキストの「トランスフォーム」にある「スケール」のストップウォッチをクリックして、アニメーションをオンにします❷。時間インジケーターの位置に、キーフレームが設定されます❸。

3 最初の文字サイズを決める

「スケール」の数値を変更し、文字サイズを大きくします。この時、数値にマウスポインターを合わせ、左右にドラッグする「スクラブ」を利用すると、かんたんに数値を変更できます（P.64のPOINT）。なお、数値は縦と横、個別に設定できますが、数値の左にあるチェーンアイコンが有効な場合は、縦横が連動してサイズを変更できます。

4 アニメーションの終了時間を決める

アニメーションの終了する時間に、時間インジケーターを移動します。画面では、「01:15f」（1秒15フレーム）に合わせています。

5 最終的な文字サイズを決める

「スケール」の数値を、最終的に表示される文字のサイズに設定します。数値に「100」と入力すると❶、元の文字サイズに設定されます。同時に、時間インジケーターの位置にキーフレームが設定されます❷。「プレビュー」で確認します。

Section 06 テキストが回転するアニメーション

「回転」は、テキストアニメーションの定番です。ポイントは、どこを中心に回転させるかです。アンカーポイントの配置をしっかり確認しましょう。

「回転」を利用したアニメーションを作成する

テキストが回転するアニメーションも、テキストアニメーションの定番です。このアニメーションは、トランスフォームにある「回転」を利用して実現します。

テキストの回転は、どこを中心に回転させるかがポイント。

1 テキストを準備する

「コンポジション名」を「回転」などわかりやすい名前で新規コンポジションを作成し、テキストを入力します。回転の場合、アンカーポイントが回転の支点となるので、P.214の方法でテキストの中央に配置しておきます。なお、この状態がアニメーションの開始位置になります。

2 アニメーションの開始時間を決める

テキストを1秒間表示してから、回転が始まるようにします。時間インジケーターを1秒の位置に合わせます。

3　アニメーションをオンにする

テキストの「トランスフォーム」にある「回転」のストップウォッチをクリックし、アニメーションをオンにします❶。時間インジケーターの位置に、キーフレームが設定されます❷。

4　アニメーションの終了時間を決める

時間インジケーターを、5秒の位置に合わせます。

5　回転角度を入力する

「回転」「0x+0.0°」の「0.0」に「360」と入力します。Enterキーを押すと、「1x+0.0°」と表示されます。「1x」は回転数を示しており、「時計回りに1回転する」という意味になります。なお、360と回転角度を入力する代わりに、「0x」部分に回転数を入力してもかまいません。

6　プレビューで動きを確認する

回転の設定ができたら、「プレビュー」パネルを表示して回転を確認します。回転のアニメーションは、「コンポジション」パネルに表示されます。

 POINT　逆回転させる

回転方向を逆にしたい場合は、回転数に「-」(マイナス)を設定します。

回転数に「-」
(マイナス)を
設定する。

Section 07 テキストがフェードアウト／フェードインするアニメーション

テキストの「不透明度」を利用すると、文字が徐々に消えたり、表示されたりする効果を実現できます。

「不透明度」を利用したアニメーションを作成する

「トランスフォーム」オプションの「不透明度」を利用すると、文字が徐々に消えたり、表示されたりといった、フェードアウト、フェードインのアニメーションを実現できます。

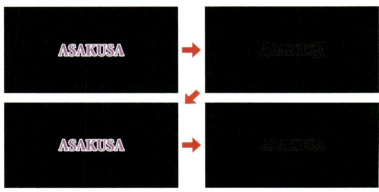

テキストをフェードアウト、フェードインさせて点滅するアニメーション。

1 テキストを準備する

「コンポジション名」を「フェード」などわかりやすい名前で新規コンポジションを作成し、テキストを入力します。「コンポジション」パネルの適当な位置にテキストを配置して、アニメーションの準備を行います。この状態が、アニメーションの開始位置（不透明度100％の状態）になります。

2 アニメーションの開始時間を決める

テキストを1秒間表示してから、フェードアウトが始まるようにします。時間インジケーターを1秒の位置に合わせます。

3 アニメーションをオンにする

テキストの「トランスフォーム」にある「不透明度」のストップウォッチをクリックして、アニメーションをオンにします❶。時間インジケーターの位置に、キーフレームが設定されます❷。

4 アニメーションの終了時間を決める

時間インジケーターを、2秒の位置に合わせます。

5 不透明度を0%に設定する

2秒の位置での「不透明度」の値を「0%」に設定します❶。時間インジケーターの位置にキーフレームが設定され❷、テキストが消えます。

6 不透明度を100%に設定する

時間インジケーターを3秒の位置に移動し❶、3秒の位置での「不透明度」の値を「100%」に設定します❷。時間インジケーターの位置にキーフレームが設定され❸、テキストが表示されます。

キーフレームをコピー&ペーストする

キーフレームは、コピーしてほかの位置にペーストすることができます。設定が完了したキーフレームをコピーすることで、アニメーションを繰り返し再生することができます。

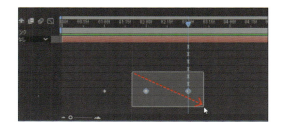

1 キーフレームをコピーする

コピーしたいキーフレームを選択します。画面では、2個目、3個目のキーフレームを囲むようにドラッグして選択しています。選択したら、Ctrl＋Cキー（macOS：command＋Cキー）でコピーします。

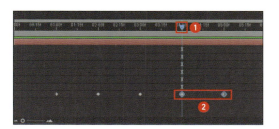

2 キーフレームをペーストする

キーフレームをペーストしたい位置（4秒の位置）に時間インジケーターを合わせ❶、Ctrl＋Vキー（macOS：command＋Vキー）を押すと、キーフレームが2個ペーストされます❷。

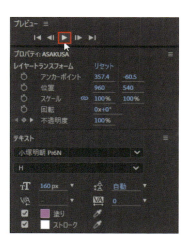

3 プレビューを実行する

プレビューを実行すると、テキストが点滅状態で再生されます。

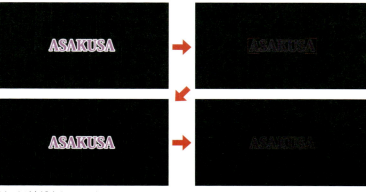

テキストが点滅するアニメーション。

Section 08 キーフレームを操作する

タイムラインに設定したキーフレームは、移動、削除などが可能です。キーフレームを自在に編集することで、アニメーションの流れをコントロールすることができます。

キーフレームを移動する

タイムラインに設定したキーフレームは、マウスで選択すると青色で表示されます。このキーフレームをドラッグすると、配置位置を変更できます。

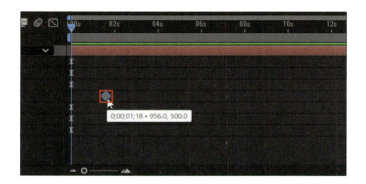

1 キーフレームを選択する

操作したいキーフレームをクリックすると、キーフレームが青色に変わり、選択状態になります。

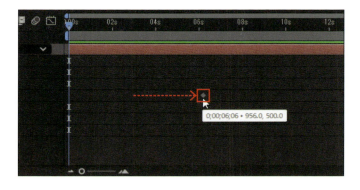

2 キーフレームをドラッグする

キーフレームをドラッグし、表示位置を変更します。

POINT　時間インジケーターをキーフレームにスナップさせる

時間インジケーターを Shift キーを押しながらドラッグすると、移動先の位置に設定されているほかのオプションのキーフレームにスナップします。

キーフレームを削除する

タイムラインに設定したキーフレームを削除する場合は、削除したいキーフレームをクリックして選択し、Deleteキーを押します。これで、選択したキーフレームを削除できます。

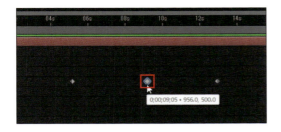

1 キーフレームを選択する

削除したいキーフレームをクリックすると、キーフレームが青色に変わり、選択状態になります。

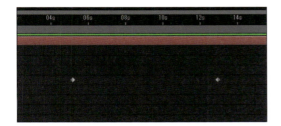

2 Deleteキーを押す

Deleteキーを押すと、選択したキーフレームが削除されます。

キーフレームの操作ボタン

キーフレームを設定すると、オプション名の先頭にキーフレームを操作するボタンが表示されます。このボタンを使って、時間インジケーターの移動や、キーフレームの追加／削除ができます。

「次のキーフレームに移動」をクリックする。

時間インジケーターが次のキーフレームに移動する。

POINT 点滅の間隔を調整する

P.218で紹介したフェードアウト、フェードインの間隔は1秒です。この間隔を短くしたり、逆に長くしたりするには、キーフレームとキーフレームの間隔を調整します。とはいえ、キーフレームを1つずつドラッグして間隔を調整するのは手間がかかります。このような場合に、複数のキーフレームをまとめて調整する方法があります。

すべてのキーフレームをドラッグして選択する。

選択したキーフレームの先頭か終端を、Alt キー（macOS：option キー）を押しながら左にドラッグすると…

キーフレームの間隔が狭くなる。

選択して Alt キー（macOS：Option キー）を押しながら右にドラッグすると…

キーフレームの間隔が広くなる。

Section 09 アニメーターで1文字ずつアニメーションさせる

テキストを1文字ずつアニメーションさせたい場合は、テキストレイヤーの「アニメーター」を利用します。ここでは2種類のアニメーションの作成方法を解説します。

テキストを入力する

アニメーションの準備としてコンポジションを新規に設定し、テキストを入力しておきます。コンポジション名は「OneWord-1」としました。なお、テキストは常に選択した状態で作業を行います。

コンポジションを設定してテキストを入力する。

1文字ずつ落ちてくるアニメーションを作成する

1文字ずつのアニメーションの1つ目は、アニメーターの「位置」を利用し、テキストが1文字ずつ上から落ちてくるアニメーションを作成してみましょう。

1文字ずつ落ちてくるアニメーション。

1 アニメーターの「位置」を設定する

テキストレイヤーのオプションを開き❶、テキストの右にある「アニメーター」❷から「位置」を選択します❸。

2 テキストを画面の外に移動する

テキストを、画面に表示されなくなる位置に移動します。Shiftキーを押しながらドラッグすると、垂直、水平に移動できます。

3 開始の「開始」を「0%」に設定する

タイムラインの時間インジケーターを左端に移動します❶。テキストレイヤーの「テキスト」→「アニメーター1」→「範囲セレクター1」→「開始」が「0%」になっていることを確認して❷、ストップウォッチをクリックしてオンにします❸。時間インジケーターの位置に、キーフレームが設定されます❹。

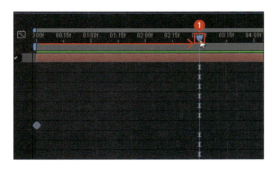

4 終了の「開始」を「100%」に設定する

時間インジケーターを3秒（03:00f）の位置に移動し❶、「開始」を「100%」に設定します❷。タイムラインには、キーフレームが自動的に設定されます。プレビューでアニメーションを確認します。

1文字ずつ現れるアニメーションを作成する

1文字ずつのアニメーションの2つ目は、アニメーターの「不透明度」を利用し、テキストが1文字ずつ現れるアニメーションを作成してみましょう。

1文字ずつ現れるアニメーション。

1 アニメーターの「不透明度」を設定する

テキストレイヤーのオプションを開き①、テキストの右にある「アニメーター」②から「不透明度」を選択します③。

2 「不透明度」を「0%」に設定する

時間インジケーターを左端に移動し①、テキストレイヤーを展開します②。ここで、「テキスト」→「アニメーター1」→「範囲セレクター1」の「不透明度」を「0%」に設定します③。

3 開始の「開始」を「0%」に設定する

時間インジケーターが左端にあることを確認します①。テキストレイヤーの「テキスト」→「アニメーター1」→「範囲セレクター1」→「開始」が「0%」になっているのを確認して②、ストップウォッチをクリックしてオンにします③。時間インジケーターの位置に、キーフレームが設定されます④。

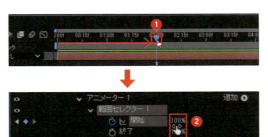

4 終了の「開始」を「100%」に設定する

時間インジケーターを2秒（02:00f）の位置に移動し①、「開始」を「100%」に設定します②。プレビューでアニメーションを確認します。

POINT 「アニメーター」の「範囲セレクター」について

アニメーターでは、アニメーションを適用する範囲を「範囲セレクター」で指定します。範囲セレクターは、画面の文字の先頭と終端にある赤いラインです。この赤いラインの範囲内のテキストに、アニメーションを設定するということになります。

本書では、「開始」を利用して範囲セレクターを移動させ、アニメーションを適用しています。以下の画面では開始のセレクターと終了のセレクターの間だけに不透明度が適用されますが、開始のセレクターが再生ヘッドの移動とともに移動し、「不透明度」が適用される範囲が変更されていきます。これによって、アニメーションが実現されています。終了のセレクターも100%→0%と変更して、効果を確認してください。

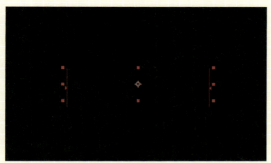

不透明度を「0%」に設定した状態。

開始のセレクターが右へ移動する。

セレクターの移動に合わせて、テキストが表示される。

Section 10 テキストがパスに沿って動くアニメーション

設定したラインに沿って文字を移動させたい場合は、「パス」を利用します。移動するラインをパスを使って設定することで、パスに沿ってテキストが移動するアニメーションを実現できます。

パスに沿ってテキストを移動させる

タイトルが画面の中を自由に移動するアニメーションを作成したい場合は、パスを利用します。これによって、以下のような画面の外から文字が入ってくるアニメーションが可能になります。

テキストがパスに沿って移動するアニメーション。

パスを設定する

最初にテキストを入力し、その後「ペン」ツールを選択して、テキストが移動するパス（道順）を描きます。パスの開始点と終了点は、フレームの外側に設定できます。

1 テキストを入力して選択する

新規コンポジションを設定して❶、「コンポジション」パネルにテキストを入力すると❷、「タイムライン」パネルにテキストレイヤーが登録されます❸。ここで入力したテキストを、パスに沿って移動させます。なお、テキストは選択状態にしておきます。テキストを選択しないとパスが作成できないので注意してください。テキストを選択しないでパスを作成すると、パスではなく通常のシェイプが作成されてしまいます。

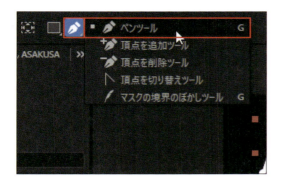

2 「ペン」ツールを選択する

ツールバーから「ペン」ツールを選択します。なお、「ペン」ツールを選択する際、ボタンを長押しすると、サブメニューが表示されます。

3 パスの開始点を作成する

設定するパスは、最初にパスの開始点から作成します。マウスをクリックすると、その位置にハンドルが作成されます。左の画面では、開始点をフレームの外に作成しています。

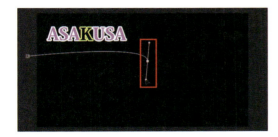

4 方向線を操作する

開始点を作成したら、次にテキストをカーブさせるパスを作成します。マウスをクリックするとハンドルが表示され、そのままドラッグすると、ベジェ曲線の方向線が表示されます。この方向線をドラッグして、カーブを作成します。

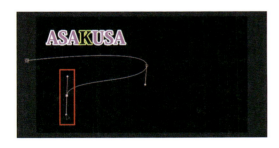

5 曲線を設定する

さらに別の位置をクリックしてハンドルを作成し、方向線を操作して曲線を描きます。ハンドルを作成する位置に応じて、カーブが作成されます。

6 パスの終了点を作成する

最後に、フレームの外をクリックして終了点のハンドルを作成します。これで、テキストが移動するパスを設定できました。

7 ハンドルと方向線でパスを修正する

作成したハンドルは、ドラッグによって位置を変更できます。また方向線をドラッグして、曲線を滑らかなカーブに変更することもできます。このようにして、テキストが移動するパスを設定します。

パスとテキストを結合する

パスの設定ができたら、テキストとパスを結合させます。これによって、パスに沿ってテキストをアニメーションさせる準備ができます。

1 「マスク1」を選択する

「タイムライン」パネルで、文字を入力したテキストレイヤーのオプションを開き、「テキスト」→「パスのオプション」→「パス」を選択し❶、右側の「v」をクリックします❷。表示されたメニューから「マスク1」を選択します❸。

2 パスが「マスク1」として表示される

パスが「マスク1」として表示されるので、これを選択します。

3 テキストとパスを結合する

テキストとパスが結合され、パス上に文字が表示されます。

 POINT テキストが逆さまに表示されたら向きを変更する

文字が逆さまに表示されてしまった場合は、オプションの「反転パス」を「オン」にしてください。文字が正しく表示されます。

「反転パス」をオンに設定する。

キーフレームを設定する

テキストとパスの結合ができたら、テキストがパス上を移動するようにキーフレームを設定します。キーフレームは、「パスのオプション」にある「最初のマージン」に設定します。

1 アニメーションの開始時間を設定する

「タイムライン」パネルで、タイムラインの時間インジケーターを左端に移動します。

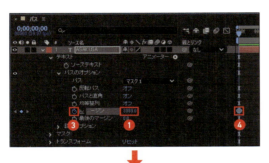

2 開始位置を設定する

「最初のマージン」の数値にマウスポインターを合わせ、スクラブしてテキストの最初の位置を設定します。スクラブで数値を変更すると❶、それに合わせてテキストも移動します。ここでは、テキストをパスの右端に移動させます❷。なお、テキストがフレーム内にまったく見えない状態からアニメーションを開始したい場合は、テキストを完全にフレームの外に配置します。開始位置が設定できたら、「最初のマージン」のストップウォッチをクリックしてオンにします❸。「タイムライン」にはキーフレームが設定されます❹。

3 終了位置を設定する

時間インジケーターを、アニメーションが終了する位置（画面では5秒）にドラッグします❶。この状態で、オプションの「最初のマージン」の数値をスクラブし❷、テキストが最終的に表示される左端の位置に合わせます❸。数値を変更すると、同時にキーフレームが設定されます❹。「プレビュー」パネルの「再生」をクリックし、アニメーションを確認します。

Section 11 コンポジションを操作する

プロジェクト内で新規にコンポジションを作成すると、徐々にコンポジションが増えてきます。このコンポジションを閉じたり開いたりする、あるいは不要になったら削除するといった管理が必要になります。

コンポジションを切り替える

編集のために開いたコンポジションは、閉じない限りタイムラインに複数展開されています。このコンポジションは、タブをクリックして切り替えることができます。現在表示されているコンポジションは、タブに下線が表示されています。

タブをクリックすると…

コンポジションが切り替わる。

コンポジションを閉じる

開いたコンポジションは、閉じない限り開いたままになります。開いているとメモリを消費しますので、不要な場合は閉じておきましょう。タブにマウスを合わせると閉じるボタン「×」が表示されるので、これをクリックします。

「×」をクリックすると…

コンポジションが閉じる。

コンポジションを開く

コンポジションを開くときには、「プロジェクト」パネルでコンポジションをダブルクリックします。

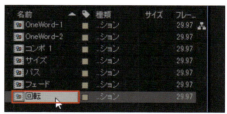

コンポジションをダブルクリックする。

コンポジションを複製する

コンポジションを複製するには、「プロジェクト」パネルでコンポジションを選択し、Ctrl ＋ D キー（macOS：command ＋ D キー）を押します。

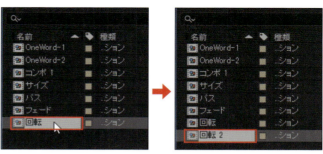

コンポジションを複製した。

コンポジションを削除する

不要になったコンポジションは、「プロジェクト」パネルで選択し❶、パネル下部にある「選択したアイテムを削除」をクリックすると❷、削除することができます。

コンポジションを削除する。

コンポジション名を変更する

コンポジション名を変更する場合は、コンポジションを右クリックして表示されたメニューから「名前を変更」を選択するか、コンポジションを選択して Enter キーを押すと入力モードに切り替わるので、名前を変更します。

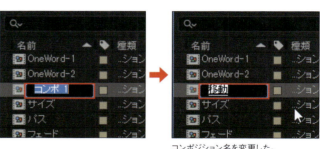

コンポジション名を変更した。

Section 12 イージーイーズを設定する

After Effectsのアニメーション、たとえば「位置」の移動のスピードは一定で、機械的な印象を受けます。それを自然な動きに設定してくれるのが「イージーイーズ」です。

自然な動きを再現する「イージーイーズ」

「自然な動き」とは、どのようなものでしょう。たとえば物が動き始めて移動し、そして止まるまでは、次のように動作します。

- 動き始め ： スピードが徐々に加速される
- 移動中　 ： スピードが最速に達する
- 止まる　 ： ブレーキがかかり、徐々に減速する

これが一般的な自然の動きです。この「徐々に」という動きを実現し、リアルな自然の動きを再現する機能が「イージーイーズ」です。日本語的には「緩急をつける」ということですね。

イージーイーズを設定する

図形が左から右へ移動するアニメーションを設定し、その動きに「イージーイーズ」を設定します。

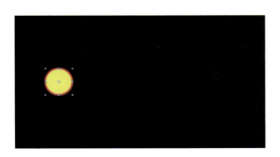

1 シェイプ（図形）を設定する

動きを設定するためのシェイプ（図形）を、シェイプレイヤーに作成します。

2 開始の時間と位置を設定する

1秒の位置に、「位置」のアニメーションを開始する設定を行います。

❶ 時間インジケーターを1秒の位置に合わせる
❷ 「シェイプレイヤー1」→「トランスフォーム」→「位置」を表示
❸ アニメーションをオンにする
❹ キーフレームが設定される

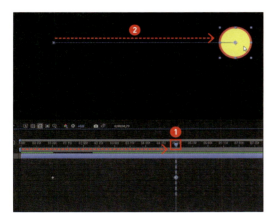

3 終了の時間と位置を設定する

ここでは、5秒の位置でアニメーションを止めます。時間インジケーターを5秒の位置に移動し❶、図形を止める位置までシェイプを移動します❷。

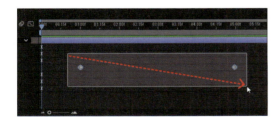

4 キーフレームを選択する

タイムラインに設定されたキーフレームを、ドラッグしてすべて選択します。

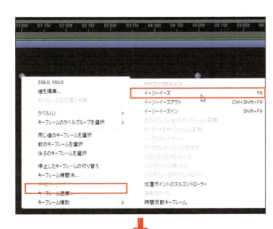

5 イージーイーズを設定する

選択されたキーフレームを右クリックし、「キーフレーム補助」→「イージーイーズ」をクリックします。すると、キーフレームの形が変わります。移動時間を短くすると、効果がはっきりとわかります。

> **POINT** ショートカットキーが便利
>
> キーフレームを選択してファンクションキーの F9 キーを押すと、キーフレームにイージーイーズが設定できます。

6 グラフエディターを表示する

「グラフエディター」をクリックし❶、タイムラインの表示をグラフ表示に切り替えます。アニメーションの移動がグラフで表示されます❷。

7 速度グラフに切り替える

デフォルトでは「値グラフ」という、移動速度の数値を表示するグラフが表示されています。これを「速度グラフ」に変更します。「グラフの種類とオプションを選択」ボタンをクリックし❶、「速度グラフを編集」をクリックします❷。

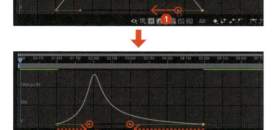

8 速度グラフを編集する

「速度グラフ」では、速度の変化が2次曲線のような形で表現されています。これを編集して、一気に加速し、一気に減速するグラフに変更します。グラフの2つの黄色い●（方向点）をドラッグして❶、形状を変形します。

ポイントを移動すると、ベジェ曲線の方向線が表示されます。この方向線の●（方向点）をドラッグして❷、画面のように変形します。変更したら、もう一度「グラフエディター」をクリックします。

9 モーションブラーを設定する

「モーションブラー」を設定すると、移動中のシェイプに対してブラー効果が設定されます。これによって、さらにリアリティがアップします。設定は、シェイプレイヤーに対して、「モーションブラー」をオンにします❶。このとき、「モーションブラーの適用」も自動的に有効になります❷。

> **POINT イージーイーズの解除**
>
> キーフレームに設定したイージーイーズを解除したい場合は、Ctrl キー（macOS：command キー）を押しながら、設定したキーフレームをクリックします。

Section 13 テキストアニメーションにイージーイーズを加える

ここではテキストアニメーションにイージーイーズを設定して、自然な動きを設定してみます。

テキストアニメーションにイージーイーズを適用する

テキストが大きくなるアニメーションに、自然な動きのイージーイーズを設定してみましょう。イージーイーズに加えて、最初にアニメーションの終了時間を決めてからアニメーションを設定するという、ちょっとしたポイントもあります。

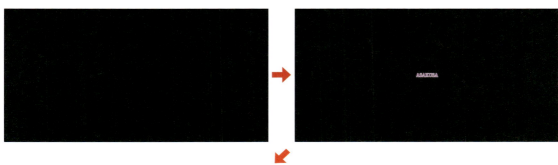

停止前に、少しだけサイズが大きくなる。

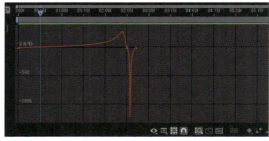

テキストにイージーイーズを設定する。

アンカーポイントを移動する

アニメーションの準備として新規コンポジションを設定したら、テキストを作成し、アンカーポイントをテキストの中心に合わせます。

1 テキストを入力する

コンポジションを設定し、テキストを入力します。アンカーポイントはテキストの左下にあります。

2 「アンカーポイント」ツールを選択する

テキストのアンカーポイントを、テキストの中央に配置します。「ツール」パネルの「アンカーポイント」ツールを、Ctrlキー（macOS：commandキー）を押しながらダブルクリックします。

3 アンカーポイントが移動する

テキストの左下にあったアンカーポイントが、中央に移動します。

サイズが変わるアニメーションを作成する

P.214と同じように、「スケール」で文字サイズが変化するアニメーションを作成します。

1 基準となるサイズを決める

テキストを、最終的に表示したいサイズに変更します。同時に、「整列」パネルにある「水平方向に整列」と「垂直方向に整列」をクリックして、中央に配置します。

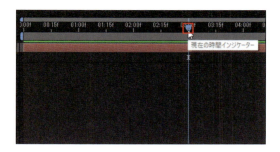

2 アニメーションの終了時間を決める

時間インジケーターを、タイムラインの3秒の位置に移動します。0秒からアニメーションが開始され、3秒で終了します。

3 アニメーションをオンにする

テキストレイヤーの「トランスフォーム」にある「スケール」を表示し、ストップウォッチをクリックして、アニメーションをオンにします❶。時間インジケーターの位置に、キーフレームが設定されます❷。P.202で紹介しているショートカットキーの S キーを押すと、オプションの「スケール」だけが表示されます。

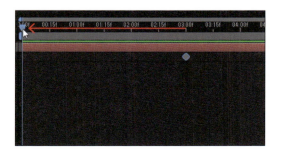

4 時間インジケーターを先頭に配置する

時間インジケーターをドラッグし、一番左端の0秒の位置に配置します。

5 文字サイズを「0%」に設定する

「スケール」のサイズを、「0%」に設定します❶。タイムラインには、キーフレームが自動設定されます❷。

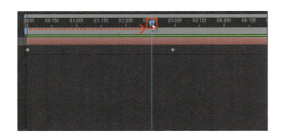

6 時間インジケーターを「02:15f」に合わせる

時間インジケーターをドラッグし、「02:15f」の2秒15フレームに合わせます。

7 サイズを140%に設定する

「スケール」のサイズを「140%」に設定します。100%よりも少し大きめに設定することで、徐々に大きくなってきたテキストが3秒の前に少し大きくなり、3秒で100%に戻ります。これは小さな演出ですが、勢いがついて大きくなったものの、ちょっと行きすぎ、少し戻るという感じの動作が実現します。

8 イージーイーズを設定する

キーフレームをすべて選択し、ファンクションキーの F9 キーを押してイージーイーズを設定します。

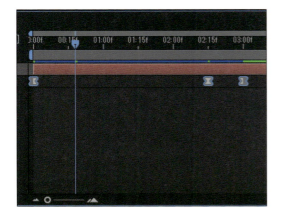

9 モーションブラーを設定する

レイヤーの「モーションブラー」をクリックしてオンにすると❶、モーションブラーの「適用」も自動的に有効になります❷。これによって動きにブラー効果が加えられ、リアリティがアップします。

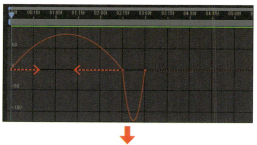

10 速度グラフを表示する

「グラフの種類とオプションを選択」をクリックして❶、「速度グラフを編集」をクリックします❷。

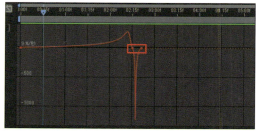

11 速度グラフを編集する

「速度グラフ」では、速度の変化が2次曲線のような形になっています。これを編集して、一気に加速し、一気に減速するグラフに変更します。グラフのポイントをクリックして表示される方向線をドラッグして、変形させます。設定が終了したら、「グラフエディター」をクリックして、グラフを閉じます。

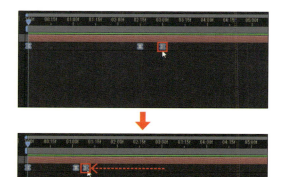

12 キーフレームの間隔を調整する

プレビューを実行します。アニメーション速度が遅いようなら、すべてのキーフレームを選択し、3秒の位置にあるキーフレームを Alt キー（macOS：option キー）を押しながら左にドラッグして間隔を調整します。

POINT モーションブラーの効果

イージーイーズにモーションブラーを組み合わせると、より自然な感じの動きを演出できます。人間の目は、動いているものを見る場合、輪郭がボケているような状態で見ています。その状態を、ブラーで再現しているのです。

● モーションブラー未設定　　　　● モーションブラー設定

Chapter

9

After Effects 編

シェイプとマスクを利用したアニメーションを作成する

Section
01

シェイプを作成する

After Effectsで図形データを扱うには、シェイプ（図形）を作成・表示するための「シェイプレイヤー」を利用します。ここでは、シェイプレイヤーを利用して図形を作成する方法について解説します。

新規コンポジションを設定する

After Effectsで利用する図形は、ベクトル形式のデータです。そのベクトルデータを「シェイプ」と呼び、シェイプを描いたり表示したりするためのレイヤーが「シェイプレイヤー」です。従って、After Effectsで図形を利用するためには、シェイプレイヤーを設定する必要があります。

1　新規プロジェクトを作成する

After Effectsを起動し、ホーム画面で「新規プロジェクト」をクリックします。

2　新規コンポジションを設定する

「プロジェクト」パネルの右クリック、あるいはメニューバーから「コンポジション」→「新規コンポジション」を選択して、「コンポジション設定」パネルを表示します。以下のようにコンポジションを設定し、「OK」をクリックします。

❶ コンポジション名：09-1
❷ プリセット：HD・1920×1080・29.97 fps
❸ デュレーション：5秒

シェイプレイヤーを設定して「スター」を描く

作成したコンポジションにシェイプレイヤーを設定して、「スター」を描いてみましょう。

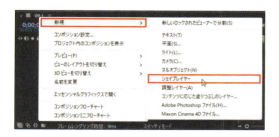

1 「シェイプレイヤー」を選択する

「タイムライン」パネルで右クリックして「新規」→「シェイプレイヤー」を選択するか、メニューバーから「レイヤー」→「新規」→「シェイプレイヤー」を選択します。

2 シェイプレイヤーが設定される

「タイムライン」パネルに、シェイプレイヤーが設定されます。

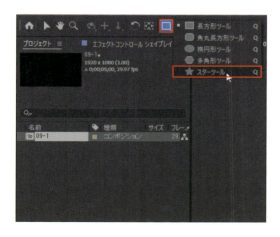

3 「スター」ツールを選択する

ツールバーの「長方形」ツールを長押しし、表示されたメニューから「スター」ツールを選択します。

4 スターを描く

「コンポジション」パネルの中央付近から右下に向けてドラッグすると、スターが描けます。なお、Shift キーを押しながらドラッグすると、スターを水平に描くことができます。

Section 02 シェイプをアレンジする

シェイプレイヤーに描いた図形は、「追加」機能を利用してさまざまな調整を行うことができます。ここでは、主な調整機能を利用して図形をアレンジしてみましょう。

図形の色を変更する

ツールバーにある「塗り」と「線」で、図形の色を変更します。また「線幅」で、線の太さを調整します。操作はシェイプレイヤーを選択した状態で行います。

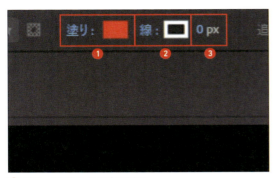

❶ 塗り：図形の色を変更する
❷ 線：線の色を変更する
❸ 線幅：線の太さを調整する

「塗り」「線」のカラーボックスをクリックして色を選択する。

「線のカラー」で線の色、「線幅」で線の太さを変更する。

❶ 塗り
❷ 線のカラー
❸ 線幅

図形をカスタマイズする

ツールバーの「追加」ボタン、またはシェイプレイヤーの「コンテンツ」にある「追加」ボタンをクリックすると、「追加」のオプションメニューが表示されます。ここで、「追加」メニューにあるいくつかのコマンドを紹介します。

ツールバーの「追加」ボタンとオプションメニュー。

レイヤーの「追加」ボタン。

● 角を丸くする

スターのように角の尖った図形を描いた場合、この角を丸めることができる。

● 旋回

図形を回転させて変形することができる。レイヤーのパラメーターを設定すれば、方向や回転状態などを変更できる。

● パンク・膨張

図形を膨らませて変形させたり、反対にマイナス方向に設定することで、図形をしぼませたりすることができる。

● ジグザグ

輪郭をジグザグに変形させることができる。

Section 03

基本オプションで図形を アニメーションさせる

シェイプレイヤーには、さまざまなオプションが用意されています。このオプションのパラメーターの変更とキーフレームを利用することで、かんたんに図形のアニメーションを実現できます。

基本オプションで実現するアニメーション

シェイプレイヤーに作成した図形には、図形が本来持っている基本的なオプションが用意されています。たとえば「スター」には、「頂点の数」というオプションがあります。この基本オプションを利用して、アニメーションを作成できます。

頂点の数が変化するアニメーション。

1 オプションを選択する

シェイプレイヤーを設定してスターを描いたら、タイムラインのレイヤーでオプションを展開し、アニメーションさせたいオプションを選択します。画面では、「シェイプレイヤー1」→「コンテンツ」→「多角形1」を展開し、「多角形パス1」にある「頂点の数」を選択しています。なお、頂点の数は「5.0」です。

2 時間インジケーターを開始位置に合わせる

タイムラインの時間インジケーターを、アニメーションを開始する位置に合わせます。画面では、プロジェクトの先頭から1秒の位置に合わせています。

3 アニメーションをオンにする

「頂点の数」の先頭にあるストップウォッチをクリックして❶、アニメーションをオンにします。タイムラインに、キーフレームが設定されます❷。

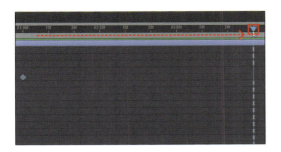

4 時間インジケーターを終了時間に移動する

時間インジケーターをドラッグし、アニメーションを終了する時間に合わせます。画面では、4秒の位置に合わせています。

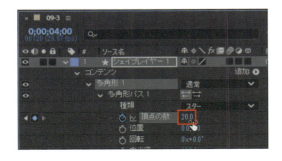

5 頂点の数を変更する

「スター」の場合、デフォルトの頂点の数は「5」です。この数値を、左の画面では「20」に変更しています。この時、タイムラインにはキーフレームが自動的に設定されます。

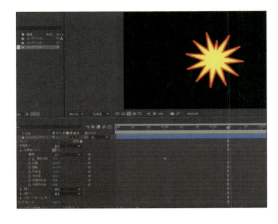

6 アニメーションを確認する

時間インジケーターをドラッグして、アニメーションを確認します。「プレビュー」パネルの「再生」をクリックすると、実際の速度でアニメーションをプレビューできます。

Section 04 動画にマスクを設定する

マスク機能を利用すると、動画の特定の範囲に効果を設定することができます。また、マスク自体をアニメーションさせることができます。ここでは、最初にマスクの基本的な使い方を解説します。

マスクを作成する

マスクを作成すると、フッテージの特定の場所のみ表示できるようになります。

マスク設定前。

マスク設定後。

1 フッテージを配置する

新規コンポジションを作成して、動画のフッテージを読み込みます。読み込んだフッテージは、タイムラインに配置します。

2 平面レイヤーを配置する

タイムラインを右クリックするか、メニューバーから「レイヤー」→「新規」→「平面」を選択します。「カラー」❶で色を決めた平面レイヤーを設定し、タイムラインに配置します。このとき、平面レイヤーはフッテージの上に配置します❷。

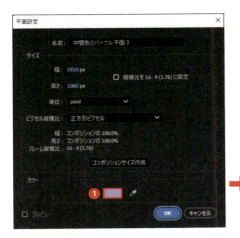

3 「楕円形」ツールを選択する

「ツール」パネルから、「楕円形」ツールを選択します。

4 楕円形を描く

平面レイヤーを選択し、平面レイヤー上に楕円形を描きます。この楕円形がマスクになり、マスク以外の部分が透明化されます。

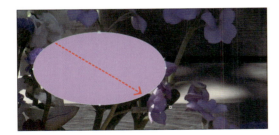

5 マスク範囲を反転させる

タイムラインの平面レイヤーには、「マスク」→「マスク1」が表示されています。右に「反転」のチェックボックスがあるので、このチェックをオンにします。これで、マスク範囲が反転します。次ページから、このマスクを使ったアニメーションを作成します。

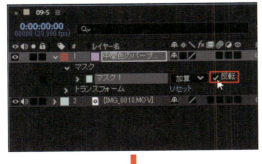

Section 05 マスクの拡張でアニメーションさせる

After Effectsでは、マスクもアニメーションの対象になります。マスクのアニメーションではさまざまなオプションを利用できますが、ここでは「マスクの拡張」を利用する方法を解説します。

「マスクの拡張」でマスクをアニメーションさせる

マスクには、数種類のオプションがあります。ここでは、オプションの1つである「マスクの拡張」を利用してマスクをアニメーションさせる方法について解説します。

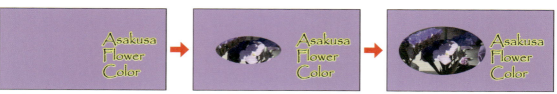

マスクをアニメーションさせる。

1 時間インジケーターを合わせる

P.250の方法で、あらかじめマスクを作成しておきます。タイムラインの時間インジケーターを、2秒の位置に合わせます。ここがアニメーションの終了位置で、完成した状態となります。これで、アニメーションが終了する位置と時間を設定したことになります。

2 「マスクの拡張」のアニメをオンにする

「マスク1」のオプションを展開し、「マスクの拡張」のストップウォッチをクリックしてアニメーションをオンにします❶。時間インジケーターの位置に、キーフレームが設定されます❷。

3 時間インジケーターを0秒に合わせる

時間インジケーターを、タイムライン左端の0秒に合わせます。

4 「マスクの拡張」のパラメーターをマイナスにする

「マスク1」の「マスクの拡張」のパラメーターを、マイナス側にスクラブします❶。同時に、キーフレームが設定されます❷。パラメーターは、コンポジション画面でマスクの映像が消える値に設定します。

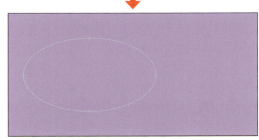

5 アニメーションを確認する

タイムラインの時間インジケーターをドラッグし、アニメーションを確認します。

6 テキストレイヤーを追加する

タイムラインに、テキストレイヤーを追加します。テキストレイヤーは、レイヤーの一番上に配置します。

7 テキストを入力する

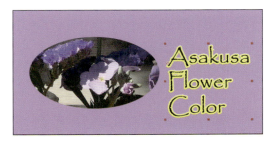

テキストレイヤーにテキストを入力します。ここではテキストにアニメーションを設定していませんが、必要に応じてアニメーションを設定するとよいでしょう。

Section 06 マスクパスでアニメーションさせる

マスクをアニメーションさせる方法には、「マスクの拡張」のほかに「マスクパス」を利用する方法もあります。ここでは、「マスクパス」を利用したアニメーションについて解説します。

「マスクパス」でマスクをアニメーションさせる

「マスク」には、数種類のオプションがあります。ここでは、オプションの1つである「マスクパス」を利用して、マスクをアニメーションさせる方法について解説します。

「マスクパス」でアニメーションさせる。

1 フッテージを配置する

デュレーションが10秒の新規コンポジションを作成し、動画フッテージを読み込みます。タイムラインに、その動画のフッテージを配置します。

2 平面レイヤーを設定する

タイムラインを右クリックするか、メニューバーから「レイヤー」→「新規」→「平面」を選択します。好きな色で平面レイヤーを設定し、タイムラインに配置します。

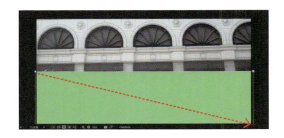

3 長方形のマスクを設定する

平面レイヤーを選択した状態で、「長方形」ツールを利用して長方形のマスクを作成します。マスクは、フレームの外側から外側まで掛かるように作成します。

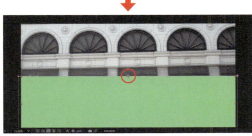

4 アンカーポイントを修正する

タイムラインの平面レイヤーを選択し、「ツール」パネルの「アンカーポイント」ツールを選択します。アンカーポイントを、マスクの中央に移動します。この時、アンカーポイントを Ctrl キー（macOS：command キー）を押しながらダブルクリックすると、自動的にマスクの中央にアンカーポイントが配置されます。

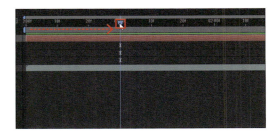

5 時間インジケーターを合わせる

タイムラインの時間インジケーターを、1秒の位置に合わせます。ここがアニメーションの終了位置で、完成した状態となります。

6 「マスクパス」のアニメーションをオンにする

「マスク1」のオプションを展開し、「マスクパス」のストップウォッチをクリックしてアニメーションをオンにします❶。時間インジケーターの位置に、キーフレームが設定されます❷。

7 時間インジケーターを0秒に合わせる

時間インジケーターを、タイムライン左端の0秒に合わせます。

8 マスクを選択する

「選択」ツールに持ち替えて、作成したマスクの外枠部分をダブルクリックします。これで、マスクが選択状態になります。「選択」ツールに持ち替えないと、マスクを選択状態にできません。

9 マスクの形を変更する

選択状態のマスクの右端にマウスポインターを合わせ、右から左にドラッグします。この時、マスクが消える位置までドラッグします。時間インジケーターの位置に、キーフレームが設定されます。

10 マスクを反転させる

「マスク1」の右にある「反転」のチェックボックスをオンにすると、マスク範囲が反転します。

11 アニメーションを確認する

タイムラインの時間インジケーターをドラッグし、アニメーションを確認します。

12 テキストを入力する

テキストレイヤーを設定して、テキストを入力します。ここではテキストにアニメーションを設定していませんが、必要に応じてChapter8を参照してアニメーションを設定するとよいでしょう。

楕円形のマスクパスアニメーションも設定は同じ

ここでは「マスクパス」を使って長方形をアニメーションしましたが、長方形ではなく、楕円形（正円）でもマスクパスアニメーションは可能です。設定方法は長方形と同じです。

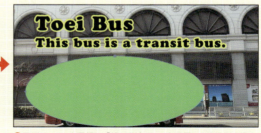

❶長方形の場合と同じように、フッテージを配置したコンポジションにテキストレイヤーと平面レイヤーを配置する。

❷平面レイヤーを選択し、「楕円形」ツールを選択して楕円形を描く。[Shift]キーを押しながら楕円形を描くと、正円が描ける。

❸「マスクパス」のアニメーションを有効にして、キーフレームを設定する。

❹時間インジケーターを0秒に移動する。楕円形のマスクをダブルクリックして選択し、左端に隠れるように移動する。

❺マスクを反転して、アニメーションをプレビューする。

Section 07 手書き風アニメーションを作成する

テキストの手書き風アニメーション作成として、ここでは「ブラシアニメーション」のキーフレームを利用した方法を解説します。

キーフレームを利用した手書き風アニメーションを作成する

キーフレームを利用して、手書き風のテキストアニメーションが作成できます。基本はマスクを使っているのですが、そのマスクをキーフレームでコントロールする方法です。アニメーションに緩急をつけることも可能です。ここでは「Mikuji」というテキストを作成し、手書き風アニメーションで表示してみましょう。

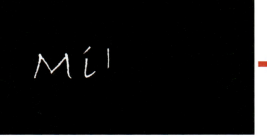 

テキストの手書き風アニメーションを作成する。

POINT 動画と合成

手書き風のアニメーションを動画と合成すると、インパクトのある映像を演出できます。この場合、動画のフッテージはテキストレイヤーの下に配置します。なお、テキストの位置やサイズを変更したい場合は、マスクデータも一緒に移動する必要があるため、P.282で解説する「プリコンポーズ」を実行してください。実行後、「トランスフォーム」にある「位置」や「スケール」で調整します。

手書き風アニメーションと動画を合成する。

テキストを入力する

最初に「Mikuji」と入力し、これをカスタマイズしていきます。

1 テキストを入力する

新規コンポジションを作成し、テキストを入力します。ここでも、P.204と同様のコンポジション設定でテキストを入力しました。

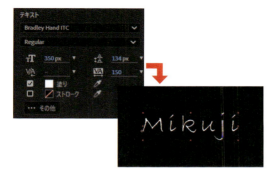

2 テキストをカスタマイズする

入力したテキストを、以下の設定でカスタマイズします。

フォント：Bladly Hand ITC（Adobe Fontより）
文字色：白
線のカラー：なし
フォントサイズ：350px
文字のトラッキング：150

エフェクトを設定する

「エフェクト&プリセット」から、エフェクトを設定します。

1 エフェクトを選択する

「エフェクト&プリセット」→「描画」→「ブラシアニメーション」❶を選択し、レイヤーにドラッグ&ドロップします❷。

2 パラメーターが表示される

エフェクトが設定され、「エフェクトコントロール」に設定パネルが表示されます❶。同じ設定が、レイヤーにも追加されています❷。

キーフレームを設定する

「ブラシの位置」のアニメーションを、キーフレームを利用して設定します。

1 時間インジケーターを スタート位置に合わせる

時間インジケーターを、タイムラインの左端に合わせます。

2 アニメーションをオンにする

「エフェクトコントロール」パネルで❶、「ブラシの位置」のアニメーションをオンにします❷。「カラー」を黄色（色は自由）❸、「ブラシのサイズ」を「25.0」（テキストに合わせる）❹、「ブラシの間隔」を「0.001」❺に設定します。そして、ブラシを書き始める位置にブラシの位置をドラッグします❻。

3 再生ヘッドを少し移動する

「タイムライン」パネルで U キーを押して「ブラシの位置」レイヤーだけを開くと❶、キーフレーム❷が設定されています。この状態で、時間インジケーターを少し右に移動します❸。5フレームほどでよいでしょう。

4 ブラシ位置を少し移動する

「コンポジション」パネルで、ブラシ位置を少し移動します❶。移動すると、赤いラインが表示されます。このとき、タイムラインにはキーフレームが自動的に設定されます❷。

5 操作を繰り返す

「時間インジケーターを移動」→「ブラシを移動」→「キーフレーム設定を確認」を、テキストをなぞるように少しずつ繰り返します。このとき、隣り合うキーフレームの間隔が狭いと速いスピード、間隔が広いとゆっくりとしたスピードでテキストが表示されます。この作業を地道に続けます。

6 キーフレーム設定が終了する

ブラシの移動とキーフレームの設定が終了します。なお、キーフレームの間隔は自由に調整してください。

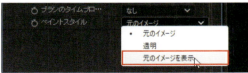

7 ペイントスタイルを変更する

「エフェクトコントロール」パネルの「ペイントスタイル」の「v」をクリックし、「元のイメージを表示」を選択します。

8 アニメーションをプレビューする

時間インジケーターを左端に戻し、再生を実行してアニメーションを確認します。

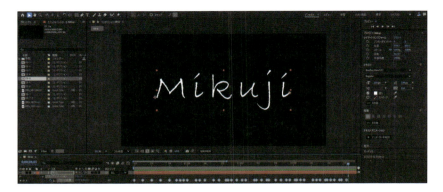

Section 08 シェイプとマスクでコールアウトタイトルを作成する

製品の紹介などによく利用されるのが、「コールアウトタイトル」と呼ばれるモーショングラフィックスです。トラッキングと併用すると、移動するオブジェクトを追尾するコールアウトタイトルが作成できます。

コールアウトタイトル

ここでは、コールアウトタイトルと呼ばれるモーショングラフィックスの作成方法について解説します。なお、このタイトル作成にはいくつものTIPSが利用されています。このタイトルの作り方を覚えることで、さまざまなモーショングラフィックスを学ぶ基礎ができあがります。

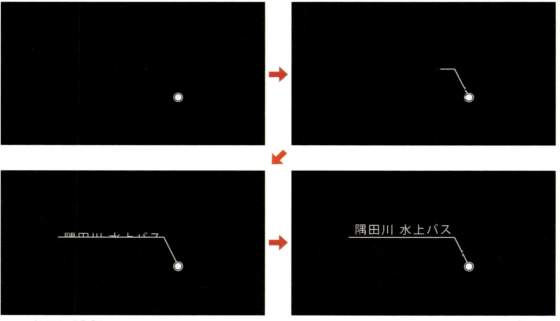

コールアウトタイトルを作成する。

シェイプのアニメーション

ここでは「楕円形」ツールを利用して、〇のポイントが点から少しずつ大きくなるアニメーションを作成します。

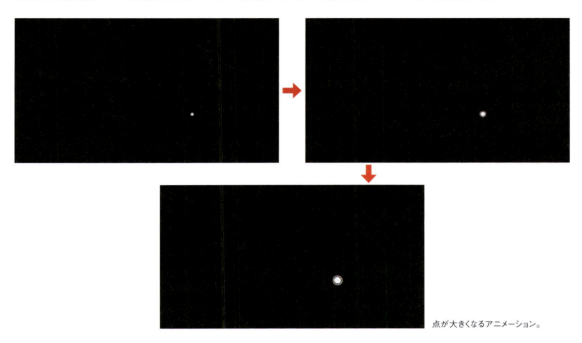

点が大きくなるアニメーション。

ラインのアニメーション

「楕円形」ツールを使ったアニメーションが完成したら、そのポイントから引き出し線が伸びるラインアニメーションを作成します。

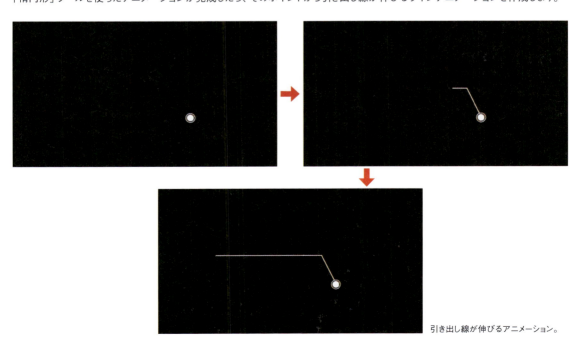

引き出し線が伸びるアニメーション。

テキストのアニメーション

ここでは、ラインの中からテキストが出てくる、マスクを利用したアニメーションを作成します。

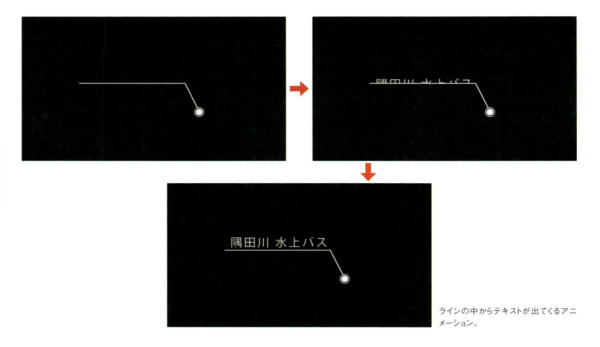

ラインの中からテキストが出てくるアニメーション。

コールアウトタイトルが消えるアニメーション

最後に、表示したコールアウトタイトルを消すアニメーションを作成します。

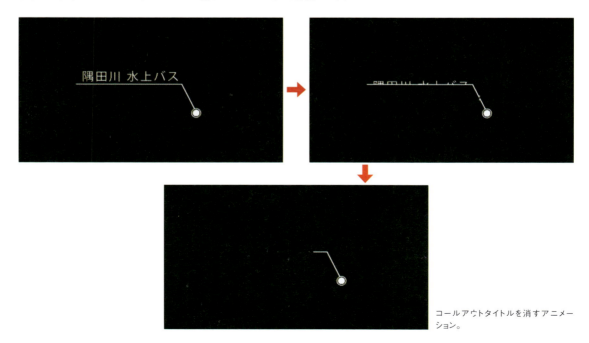

コールアウトタイトルを消すアニメーション。

コールアウトタイトルをフッテージに合成する

作成したコールアウトタイトルのアニメーションを、映像に合成します。トラッキング機能を利用して、タイトルが映像のターゲットを追尾しながらアニメーションするように設定します。

トラッキング機能によってタイトルがターゲットを追尾するアニメーション。

POINT コンポジションを流用する

作成したコールアウトタイトルのコンポジションは、他のプロジェクトの他のフッテージにも再利用可能です。この場合、次の2点を修正してください。

- テキストの修正
- トラッキングの再設定

なお、別プロジェクトのコンポジションを編集中のプロジェクトで利用する場合は、次の手順で利用したいコンポジションを読み込みます。

① メニューバーから「ファイル」→「読み込み」→「ファイル」を選択する。
② 利用したいコンポジションを含むAEPファイルを選択して読み込む。
③ 編集中のプロジェクトに選択したプロジェクトファイルが読み込まれる。
④ 利用したいコンポジションを選択して利用する。

以上の手順で、他のプロジェクトにあるコンポジションを再利用できます。読み込んだプロジェクトに利用しない不要なコンポジションがある場合は、削除してしまってかまいません。

Section
09

シェイプアニメーションを作成する

コールアウトタイトルの最初は、シェイプアニメーションの作成です。ここでは、コールアウトタイトルがポイントするときのポイントマークを、シェイプの楕円形を利用したアニメーションによって作成します。

作成するシェイプアニメーション

ここでは、コールアウトタイトルの○で構成されるポイント部分を作成します。この部分は、「楕円形」ツールを利用してアニメーションを設定します。

● この部分を作成

● シェイプのアニメーション

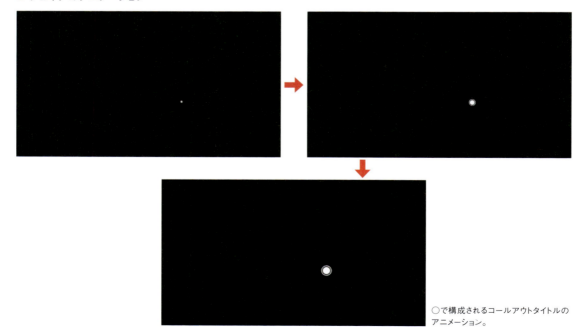

○で構成されるコールアウトタイトルのアニメーション。

シェイプアニメーションを1個作成する

コールアウトタイトルのポイント部分の作成方法は複数ありますが、ここでは「楕円形」ツールを利用して作成する方法を解説します。最初に、2つの円のうち、内側の●のアニメーションを作成します。アニメーションは、完成形から作り始めます。

1　新規コンポジションを作成する

最初に新規プロジェクトを作成し、「編集」画面が表示されたら新規コンポジションを作成します。コンポジション名は「point」とし❶、5秒のデュレーションで作成します❷。

2　塗りの設定をする

ツールバーから「楕円形」ツールを選択し❶、「塗り」オプションは「単色」❷で「白」❸、「線」オプションは「なし」❹に設定します。

3　正円を1個描く

「コンポジション」パネル上で Shift キーを押しながらドラッグし、小さな正円を1個描きます。左の画面程度の大きさでOKです。

4 アンカーポイントを円の中心に合わせる

[Ctrl]キー（macOS：[command]キー）を押しながら「アンカーポイント」ツールをダブルクリックし①、円の中心にアンカーポイントを合わせます②。

5 スケールのアニメーションの終了状態から設定する

時間インジケーターを10秒に合わせ①、[S]キーを押して「スケール」のレイヤー設定を表示します。ストップウォッチをオンにすると②、タイムラインにキーフレームが設定されます③。これで、アニメーションの完成形が設定できました。アニメーションが開始されて10フレーム目にこの形になります。

6 アニメーションのスタート状態を設定する

時間インジケーターをタイムラインの左端の0秒に合わせ①、「スケール」を「0%」に変更します②。これで、タイムラインにキーフレームが設定されます③。

POINT 必要なレイヤーのオプションのみ表示する

レイヤーの設定では、必要なオプションのみを開いておきます。不要なオプションが開いている場合は[U]キーを押して一度閉じ、必要なオプションだけを開き直します。右の画面では、スケールのオプションだけを開いています。

必要なオプションのみを開いておく。

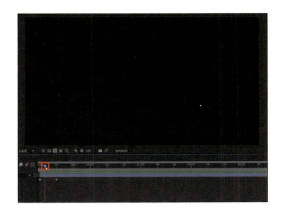

7 アニメーションを確認する

時間インジケーターをドラッグして、アニメーションを確認します。

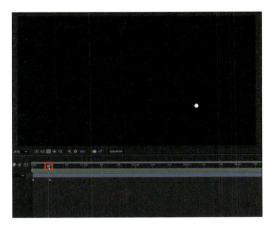

POINT 縦横が連動

スケールの数値は、2個あります。これは、右が縦のY軸、左が横のX軸の数値です。先頭の鎖マークがオンになっている状態では連動しており、どちらか一方を変更すれば、もう一方も変更されます。

スケールの数値は連動している。

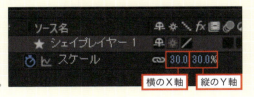

横のX軸　縦のY軸

2つ目の円アニメーションを作る

1つ目の円アニメーションを利用して、2つ目の〇のアニメーションを作成します。

1 レイヤーをコピーする

「シェイプレイヤー1」のレイヤーを選択し、Ctrl+Dキー（macOS：command+Dキー）を押してコピーします。「シェイプレイヤー2」が作成されます。

2 塗りを設定する

「シェイプレイヤー2」を選択し、ツールバーで塗りを設定します。「塗り」オプションは「なし」❶、「線」オプションは「単色」❷、「シェイプの線カラー」は「白」❸に設定します。

❶

❷

❸

POINT 「塗り」が表示されない！

ツールバーに「塗り」の設定が表示されない場合は、「選択」ツールが選ばれているかどうか確認してください。「アンカーポイント」ツールなどを選んでいると表示されません。

3 「スケール」を拡大する

「シェイプレイヤー2」を選択してSキーを押し、スケールのレイヤーを表示します。時間インジケーターは15fの位置で、スケールを130〜140%と大きくします。

4 線幅を調整する

ツールバーの「線」オプションの右側にある「線幅」を調整し、外枠の円の太さを調整します。

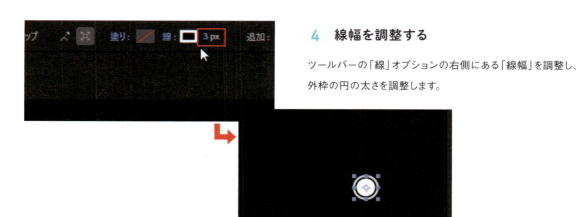

5 イージーイーズを設定する

設定されたキーフレームをすべて選択し、キーボードの F9 キーを押してイージーイーズを設定します。

6 アニメーションを確認する

時間インジケーターをドラッグして、アニメーションを確認します。アニメーション設定は「シェイプレイヤー1」の設定を引き継いでいるので、そのまま利用します。

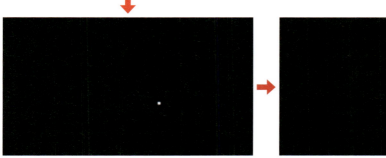

Section 10 ラインのアニメーションを作成する

コールアウトタイトルのシェイプアニメーションが作成できたら、次のアニメーションを作成します。ポイントからラインが伸びて、そこからテキストが表示されるラインのアニメーションを作成します。

作成するラインアニメーション

ここでは、円のアニメーションが終了すると、その円の外枠からラインが伸びるアニメーションを設定します。

● この部分を作成

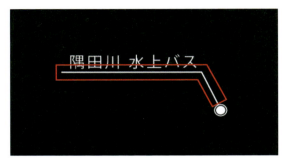

● ラインのアニメーション

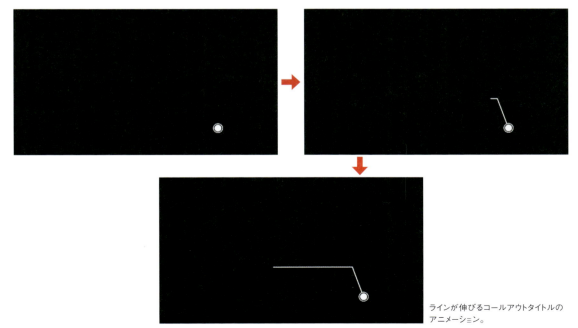

ラインが伸びるコールアウトタイトルのアニメーション。

ラインを作成する

ラインアニメーションの作成方法も複数ありますが、ここでは、もっとも基本的な「ペン」ツールと「パスのトリミング」を使った方法で作成します。最初に、ラインを描きましょう。

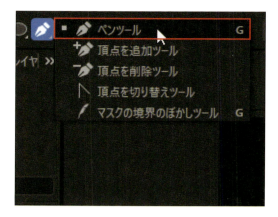

1 「ペン」ツールを選択する

ツールバーからペンのアイコンを長押しし、「ペン」ツールを選択します。

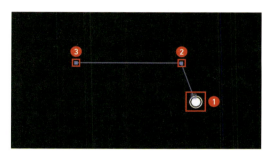

2 ラインを描く

外側の円の上からラインが伸びる位置を3箇所クリックして（❶❷❸）、ラインを描きます。このとき、外側の円から画面の番号順に描くようにします。

3 ラインの太さを調整する

ツールバーの「線」オプション右側にある「線幅」で、ラインの太さを調整します。

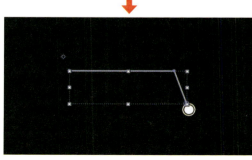

ラインにアニメーションを設定する

ラインが描けたら、ポイント部分からラインが伸びるアニメーションを設定します。

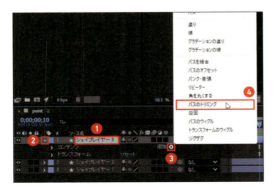

1 「パスのトリミング」を選択する

描いたラインは「シェイプレイヤー3」として登録されています❶。「v」をクリックしてオプションを展開し❷、「コンテンツ」の右にある「追加」の▶をクリックします❸。表示されたメニューから、「パスのトリミング」を選択します❹。

2 アニメーションの終了状態を設定する

時間インジケーターを20f（20フレーム）に合わせ❶、設定された「パスのトリミング1」のオプションを展開します❷。ここで、「終了点」のストップウォッチをクリックしてアニメーションをオンにします❸。このとき、タイムラインにはキーフレームが設定されます❹。これで、20フレーム目で完成した形で表示されることになります❺。

3 アニメーションのスタート状態を設定する

時間インジケーターを10fに戻します❶。10fは、円のアニメーションが完了した位置です。さらに、「終了点」のパラメーターを「0%」に変更します❷。これで、タイムラインにキーフレームが設定されました❸。

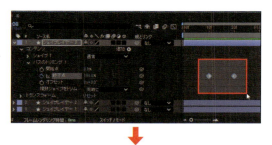

4 イージーイーズを設定する

設定されたキーフレームを2個とも選択し、F9キーを押してイージーイーズを設定します。また、必要に応じて速度グラフで緩急が目立つように設定しておくとよいでしょう（P.236）。

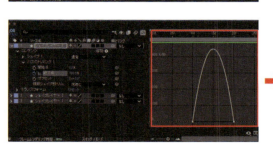 

5 アニメーションを確認する

時間インジケーターをドラッグして、アニメーションを確認します。

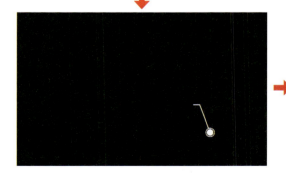 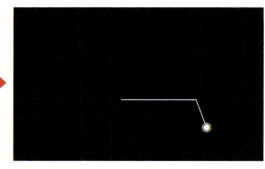

Section 11 マスクを使ってテキストのアニメーションを作成する

コールアウトタイトルのテキストアニメーションを作成しましょう。ここでは、ラインの中からテキストが出てくるイメージのアニメーションを、マスクを利用して作成します。

作成するテキストアニメーション

ここでは、ラインがアニメーションで描かれたら、そのラインからテキストが出現するアニメーションを設定します。

● この部分を作成

● テキストのアニメーション

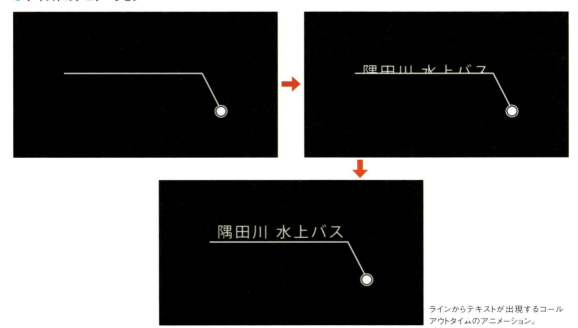

ラインからテキストが出現するコールアウトタイトルのアニメーション。

テキストを入力する

ラインが伸びるアニメーションを作成できたら、ラインに合わせてテキストを入力します。

1 時間インジケーターを合わせる

時間インジケーターを、1秒10フレームの位置に合わせます。

2 テキストを入力する

ツールバーから「横書き文字」ツールを選択し、テキストを入力します。テキストは、なるべくラインに近づけて配置します。

3 テキストをカスタマイズする

必要に応じて、フォントやサイズ、文字色などを調整します。

 テキストのアンカーポイントを調整

ここでは、テキストのアンカーポイントをデフォルトのまま利用しています。デフォルトは、テキストの左下になります。今回は上下の動きなのでデフォルトのままでOKですが、動き方によっては、テキストの中央の方がよい場合もあります。その場合は、Ctrlキー（macOS：commandキー）を押しながら、「アンカーポイント」ツールをダブルクリックしてください。なお、次のようなショートカットキーもあります。

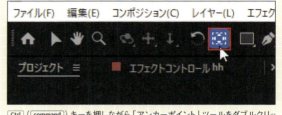

Ctrl（command）キーを押しながら「アンカーポイント」ツールをダブルクリックする。

● Windows
Ctrl + Alt + Home

● macOS
command + option + Home

ラインを編集する

テキストを入力できたら、テキストの長さに合わせてラインの長さを調整します。この場合、レイヤーのオプションで調整します。

1 オプションを表示する

ラインのレイヤー「シェイプレイヤー3」を展開し、「コンテンツ」→「シェイプ1」→「パス1」を選択します。

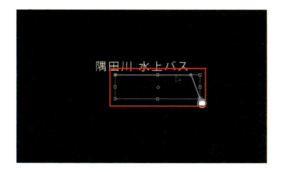

2 ラインをダブルクリックする

ラインをダブルクリックして、選択状態にします。

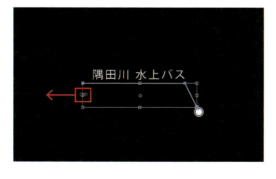

3 ラインのサイズを調整する

□のハンドルをドラッグして、ラインのサイズを調整します。

4 テキストを調整する

調整後、テキストの位置を調整します。

マスクを設定する

テキストにマスクを設定します。マスクは、「長方形」ツールを利用して作成します。

1 テキストレイヤーを選択する

時間インジケーターが、テキストのアニメーションが完了する1秒10フレーム目にあることを確認します❶。確認できたら、テキストレイヤーをクリックして選択します❷。

2 長方形ツールを選択する

ツールバーから、「長方形」ツールを選択します。

3 マスクを設定する

テキストを囲むようにして四角形を描きます。このとき、四角形の中にあるテキストは表示されますが、外にあるテキストは表示されません。また、四角形の底辺がラインと重なるように作成します。

279

アニメーションを設定する

マスクを作成できたら、マスクの外から中にテキストが移動するようにアニメーションを設定します。

1 「位置」を選択する

テキストのレイヤーを展開し、「テキスト」❶オプションの右にある「アニメーター」の▶をクリックし❷、「位置」を選択します❸。レイヤーには、「アニメーター1」→「範囲セレクター1」→「位置」が追加されています❹。

2 アニメーションの終了状態を設定する

時間インジケーターが1秒10フレームにある状態が❶、テキストがアニメーションによって表示された最終状態です。この位置に時間インジケーターがあることを確認し、テキストレイヤーの「テキスト」→「アニメーター1」→「位置」のストップウォッチをクリックして❷、アニメーションをオンにします。このとき、タイムラインにはキーフレームが設定されます❸。

3 時間インジケーターを移動する

時間インジケーターを、ラインアニメーションが終了する20フレームに合わせます。ここから、テキストアニメーションが開始されます。

4 「位置」のパラメーターを変更する

「位置」の2つあるパラメーターのうち、右側のY軸の座標値をスクラブなどで変更し、テキストがマスクの下に隠れるように変更します。

5 イージーイーズを設定する

「位置」のタイムラインに設定した2つのキーフレームを選択して F9 キーを押し、イージーイーズを設定します。

6 アニメーションを確認する

時間インジケーターをドラッグして、アニメーションを確認します。

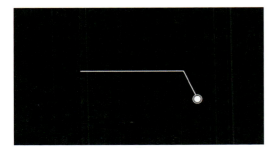

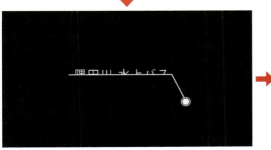

7 レイヤーの位置を変更する

ラインとテキストが同じ白色なのでわかりづらいですが、アニメーションを再生すると、テキストがラインの上に重なった状態で出現します。これを、テキストがラインの下になって出現させるには、テキストのレイヤーをラインのレイヤーの下に移動します。

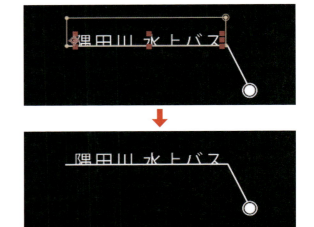

Section 12 テキストとラインが消えるアニメーションを作成する

アニメーションによって表示させたコールアウトタイトルを、今度はアニメーションによって消します。キーフレーム設定やパラメーター変更を手動で行う作業が多いので、注意して設定してください。

プリコンポーズを実行する

アニメーションで表示したコールアウトタイトルを、今度はアニメーションで消します。ここでは、「プリコンポーズ」と「時間反転」機能を利用して実現します。プリコンポーズは、複数のレイヤーを1つのコンポジションにまとめる機能です。

1 複数レイヤーを選択する

コールアウトタイトルは、4つのレイヤーを利用しています。これを1つのコンポジションにまとめます。レイヤーをドラッグしてすべて選択します。

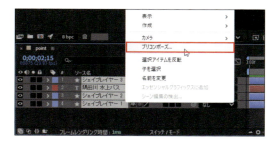

2 「プリコンポーズ」を選択する

選択したレイヤーの上で右クリックし、表示されたメニューから「プリコンポーズ...」を選択します。

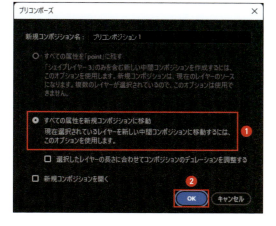

3 プリコンポーズする

「プリコンポーズ」ダイアログボックスが表示されます。設定はデフォルトのまま、「すべての属性を新規コンポジションに移動」を選択して❶、「OK」をクリックします❷。

4 プリコンポーズされる

プリコンポジションされ、複数のレイヤーが1つにまとめられます。プリコンポジション前のレイヤーは、新規に作成された「プリコンポジション1」にあります。再編集したい場合は、プリコンボジションされたレイヤーをダブルクリックしてください。

時間反転で逆再生する

「時間反転」を利用して、コールタイトルを表示するアニメーションを逆再生させます。

1 レイヤーを分割・削除する

コールタイトルが表示された数秒後に時間インジケーターを合わせ❶、Ctrl + Shift + D キー（macOS：command + Shift + D キー）でタイトルを分割します❷。分割後、アニメーションのない後半部分❸は、選択して Delete キーで削除します❹。

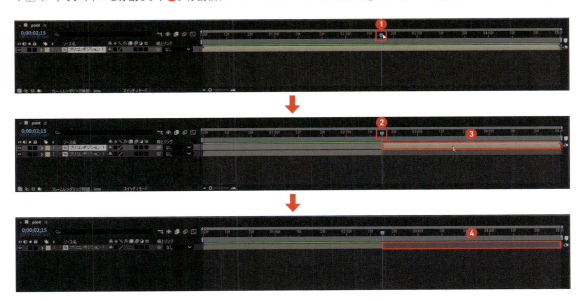

2 レイヤーを複製する

分割して残ったアニメーション部分のレイヤーを選択し、Ctrl + D キー（macOS：command + D キー）でレイヤーを複製します。

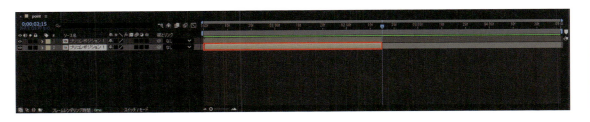

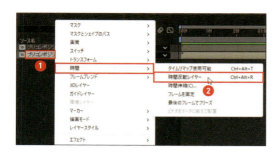

3 時間反転を設定する

複製したレイヤーを右クリックし①、「時間」→「時間反転レイヤー」を選択します②。

4 レイヤーを移動する

レイヤーを後半に移動します。

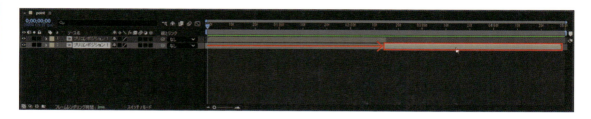

5 アニメーションで確認する

時間インジケーターをドラッグして、テキストとラインが消えるアニメーションを確認します。

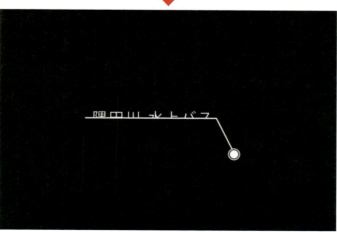

Section 13 トラッキングで動画と合成する

作成したコールアウトタイトルを、After Effects 上で動画データと合成します。合成したデータは、Premiere Pro の素材としても利用できます。

フッテージと合成する

作成したコールアウトタイトルを動画のフッテージと合成するため、新規コンポジションを作成しましょう。P.340では、作成したコンポジションを Premiere Pro にクリップとして取り込んで利用する方法を解説しています。

1 新規コンポジションを作成する

動画データと合成するための新規コンポジションを作成します。ここでは、コンポジション名を「コールアウト」に設定し、10秒のデュレーションで作成します。その他の設定は、フルハイビジョンの動画ファイルの設定を基本にしています。

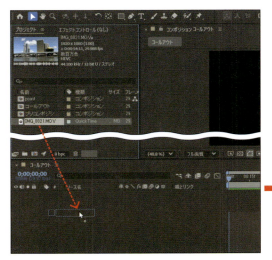

2 フッテージを配置する

動画をフッテージとして取り込み、これを作成したコンポジションに配置します。「タイムライン」パネルのレイヤー部分にフッテージをドラッグ&ドロップして配置します。

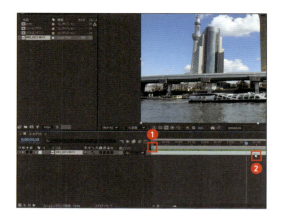

3 映像の利用範囲を決める

動画のデュレーションが10秒より長い場合、タイムラインのデュレーションバーをドラッグして利用する範囲を決めます。再生ヘッドを左端に合わせ❶、デュレーションバーをドラッグして、スタート位置のフレーム❷を決めます。

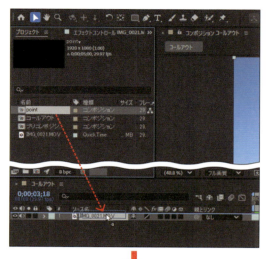

4 コンポジションを フッテージの上に配置する

フッテージを配置したタイムラインに、コールアウトタイトルを作成したコンポジションをドラッグ&ドロップして配置します。このとき、コンポジションはフッテージの上に配置してください。下に配置すると、コールアウトタイトルが表示されません。

5 コールアウトタイトルを確認する

時間インジケーターをドラッグして、コールアウトタイトルを確認します。表示位置やサイズが適切ではありませんが、この後調整します。

ヌルオブジェクトを設定してトラッキングを実行する

配置したコールアウトタイトルを、映像の必要な部分にポイントさせ、オブジェクトが移動しても一緒に移動するようにトラッキングを実行します。

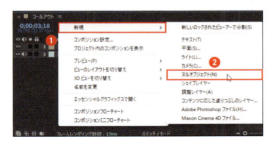

1 ヌルオブジェクトを設定する

タイムラインのレイヤー部分で右クリックし❶、「新規」→「ヌルオブジェクト」を選択します❷。

 ヌルオブジェクトについて

ヌルオブジェクトはレイヤーなのですが、レンダリングして動画ファイルとして出力しても表示されない、特殊なレイヤーです。デフォルトのサイズは100px×100pxですが、サイズ調整ができます。動きのパラメーターをヌルオブジェクトに設定し、テキストやシェイプなど他のレイヤーとの間に親子関係を設定することで、動きを一括して制御できるようになります。ここでも、その方法で利用します。ちなみに、名前の「Null」(ヌル)には、「何もない」という意味があります。

2 フッテージを選択する

「タイムライン」パネルで、フッテージを選択します。

3 トラックを選択する

パネルグループで「トラッカー」❶の「トラック」❷をクリックします。パネルグループにない場合は、メニューバーの「ウィンドウ」→「トラッカー」を選択してください。

4　ターゲットを設定する

設定項目が表示されるので、「ターゲットを設定」をクリックします。

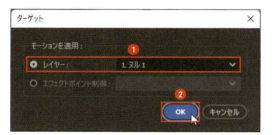

5　ヌルオブジェクトをターゲットにする

表示されたダイアログボックスの「レイヤー」で「ヌル1」を選択し❶、「OK」をクリックします❷。

6　トラックポイントを設定する

「レイヤー」パネル中央に、「トラックポイント1」と表示されているトラックポイントがあります。

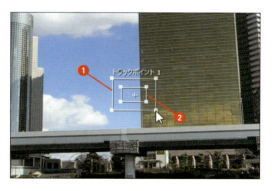

7　トラックポイントを調整する

トラックポイントは、2つの枠で構成されています。枠は、それぞれサイズを変更できます。外枠❶で動きを検出する範囲を、中枠❷で追尾するポイントを指定します。

8 ポイントを指定する

追尾するポイントは、コントラストがはっきりしている部分がベストです。トラックポイントの中心をドラッグして、追尾したいポイントに合わせます。このとき、追尾したいポイントにトラックポイントを合わせやすいように、中央部分が拡大表示されます。

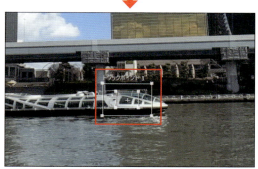

9 時間インジケーターの位置を確認する

タイムラインの時間インジケーターが、現在どの位置にあるかを確認します。

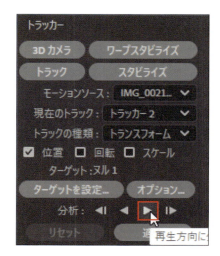

10 トラッキングを開始する

「トラッカー」の「再生方向に分析」をクリックします。

11 トラッキングが実行される

トラッキングが開始されると、トラックポイントが対象を追尾して一緒に移動します。なお、■の「停止」をクリックすると、途中でトラッキングを中断することができます。その場合でも、トラッキング済みの範囲は利用できます。

12 トラッキングが終了する

トラッキングが終了すると、追尾した形跡がキーフレームとして表示されます。

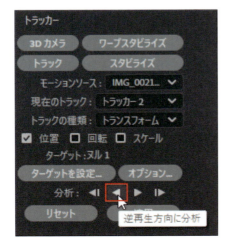

13 逆方向にトラッキングする

トラッキングを開始した位置に時間インジケーターを戻し、今度は「トラッカー」の「逆再生方向に分析」をクリックします。

14 トラッキングを「適用」する

トラッキングが終了したら、「トラッカー」の「適用」をクリックします。

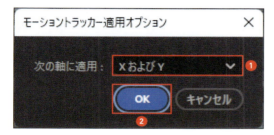

15 「XおよびY」を選択する

適用オプションが表示されるので、「XおよびY」を選択して❶、「OK」をクリックします❷。このオプションによって、上下左右の動きに対応できるようになります。

16 ヌルオブジェクトを確認する

「コンポジション」パネルでは、指定したポイント部分にヌルオブジェクトの左上部分が重なっています。時間インジケーターをドラッグすると、ヌルオブジェクトとポイントが一緒に移動します。

17 タイトルのサイズを変更する

タイトルのサイズを調整します。プリコンポーズのコンポジションを選択して S キーを押し、「スケール」を表示します。ここでサイズを調整します。

18 親子関係を設定する

ヌルオブジェクトとタイトルのレイヤーに、親子関係を設定します。ヌルオブジェクトを「親」とし、タイトルのレイヤーを「子」にします。設定は、タイトルレイヤーの「ピックウィップ」❶を「ヌル1」という名前の上にドラッグ&ドロップします❷。これで、親の名前が表示されます❸。

19 タイトル位置を変更する

タイトルの○のポイント部分を、映像のポイント部分に重ねます。これで設定が終了です。

20 アニメーションを確認する

再生すると、コールアウトタイトルがアニメーションしながら移動するのが確認できます。

Chapter

10

After Effects 編

レイヤーとエフェクトを活用する

Section 01 カメラレイヤーで3D空間を利用する

After Effectsには「3Dレイヤー」という機能があり、3D空間を活用したエフェクトや効果を利用できます。ここでは、その中から「カメラレイヤー」の基本的な使い方について解説します。

3Dレイヤーを有効にする

After Effectsは、基本的には2Dの世界でデータを作成していますが、3Dを利用できるようにするための「3Dレイヤー」という機能がすべてのレイヤーに備えられています。この機能をオンにすると、そのレイヤーで3D空間を利用できるようになります。また、3D空間を移動するための「総合カメラ」ツールも利用できるようになります。

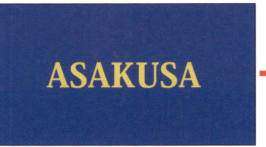

2Dの世界のデータ。

3D空間を利用できる。

1 新規コンポジションを設定する

3Dレイヤーを利用するための、新規コンポジションを設定します。ここでは、フルハイビジョンフォーマットに準拠した❶、デュレーション10秒❷のコンポジションを設定しました。

2 平面レイヤーを設定する

「タイムライン」パネルで右クリックして「新規」→「平面」を選択するか、メニューバーから「レイヤー」→「新規」→「平面」を選択して、平面レイヤーを設定します。背景には、好みの色を設定してください。この平面レイヤーは、この後、背景として利用します。

3 テキストレイヤーにテキストを入力する

続いてテキストレイヤーを設定し、文字を入力します。テキストレイヤーも、平面レイヤーと同様「タイムライン」パネルの右クリックかメニューバーの「レイヤー」メニューで設定します。Ctrlキー（macOS：commandキー）を押しながら「アンカーポイント」ツールをダブルクリックし、アンカーポイントをテキストの中央に移動しておきます。

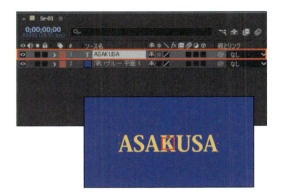

4 「3Dレイヤー」を有効にする

平面レイヤー、テキストレイヤー、それぞれの「3Dレイヤー」のスイッチをクリックしてオンにします。オンにすると、3Dのアイコンが表示されます。

カメラレイヤーを追加する

各レイヤーが3Dレイヤーとして利用できるようになったら、続いてカメラレイヤーを追加します。カメラレイヤーは、カメラの視点で映像表現ができるレイヤーです。たとえば、絞りの調整や被写界深度を利用したフォーカス機能など、カメラのファインダーを通して表現したかのようなエフェクトを演出できます。

1 「カメラ」を選択する

「タイムライン」パネルを右クリックして「新規」→「カメラ」を選択するか、メニューバーから「レイヤー」→「新規」→「カメラ」を選択します。

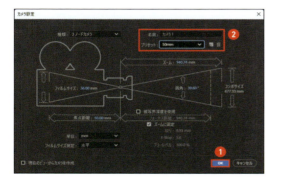

2 カメラのプリセットを選択する

「カメラ設定」パネルが表示されるので、必要な設定を行い、「OK」をクリックします❶。ここでは、「プリセット」で「50mm」を選択しています❷。これによって、50mmのレンズを利用したような効果が表現されます。

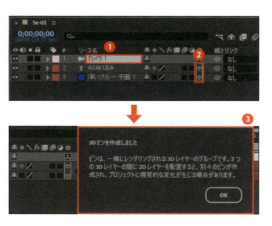

3 レイヤー名と「3Dビン」が設定される

なお、カメラレイヤーの名前はデフォルトで「カメラ1」です❶。また、3Dアイコンがラインで囲まれます❷。これが「3Dビン」で、レンダリング時にお互いに影響し合うことを意味しています。それを示す左のようなメッセージが表示されます❸。

4 3D変形ギズモを確認する

3D空間でナビゲーションを行うための、3D変形ギズモ（オブジェクトを動かす）の内容を確認します。詳しくは、右ページで確認してください。カメラでのギズモ（カメラのアングルを変更する）については、P.301で解説しています。

POINT 3D空間でのナビゲーション

3D空間というのは、縦（Y軸）と横（X軸）で表現する2次元に、奥行きを表現する「Z軸」を追加することで、立体的な表現を実現したものです。立体的な空間をイメージできることは、3D表現には重要な要素です。

たとえばシェイプの3Dレイヤーをオンにしてレイヤーを選択すると、オブジェクトに対して3D空間でのパン、回転、拡大・縮小するためのギズモが利用できるようになります。なお、ギズモとは3D軸や3D平面に沿って、オブジェクトを移動、回転するためのアイコンです。本書では、概要のみをお伝えします。

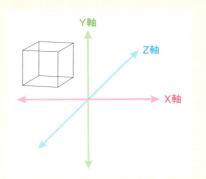

❶ シェイプレイヤーを選択
❷ 3Dをオン

❸ 「選択」ツールをクリック
❹ ギズモが表示される

3D空間でのオブジェクトの位置やスケール、回転などの操作変更は、ギズモによっても選択できます。各軸のモード（❶❷❸）と操作目的のギズモ（❹❺❻❼）を選択後、コンポジション画面で上記の操作を行います。

❶ ローカル軸モード　❹ ユニバーサル　❼ 回転
❷ ワールド軸モード　❺ 位置
❸ ビュー軸モード　　❻ スケール

たとえば❹の「ユニバーサル」をクリックすると、「コンポジション」パネルに表示されている「トランスフォームギズモ」の赤、青、緑の●や矢印をドラッグして、オブジェクトを操作することができます。

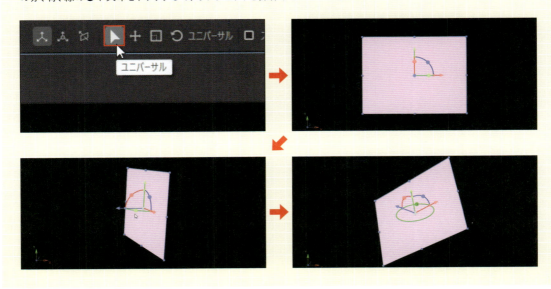

Section 02 カメラレイヤーを アニメーションさせる

カメラの視点は、キーフレームを利用することでアニメーションとして動かすことができます。前節で作成したコンポジションを利用し、カメラからの視点をアニメーションさせてみましょう。

カメラワークをアニメーションさせる

カメラナビゲーション用の3Dギズモを利用してカメラアングルを変えると、その状態をアニメーションさせることができます。またテキストレイヤーなどの動きも、アニメーションできます。ここでは、カメラを右側に振り、さらにテキストを背景から離すことで立体的に見せるといったアニメーションを作成してみましょう。

カメラワークを利用したアニメーション。

1 カメラ設定の「単位」を変更する

作業を行う前に、作業がしやすいように「単位」の設定をmmからpixelに変更しましょう。カメラレイヤーをダブルクリックすると「カメラ設定」パネルが表示されるので、「単位」の「〜」をクリックして「pixel」を選択し❶、「OK」をクリックします❷。

2 カメラを切り替える

「コンポジション」パネルの「アクティブカメラ」にある「〜」をクリックし❶、表示されたメニューから「カメラ1」を選択します❷。これで、手順1で設定したカメラが選択されます。

3 開始用キーフレームを設定する

タイムラインにある時間インジケーターを左端に合わせ❶、カメラレイヤーのオプションを展開して「トランスフォーム」→「位置」のストップウォッチをクリックします❷。タイムラインにキーフレームが設定され❸、ここがアニメーションの開始位置になります。

4 時間インジケーターを移動してカメラを右に振る

タイムラインの時間インジケーターを3秒の位置に移動します❶。「ツール」パネルで「カーソルのまわりを周回」ツール❷、ツールのオプション「水平方向に制約する」❸をクリックし、「コンポジション」パネルで左にドラッグします❹。これでカメラが移動し、「位置」のタイムラインにキーフレームが自動的に設定されます❺。

5 テキストの「位置」アニメーションをオンにする

時間インジケーターが3秒の位置で、テキストレイヤーの「トランスフォーム」を展開します❶。「位置」のストップウォッチをクリックしてアニメーションをオンにし❷、キーフレームを設定します❸。

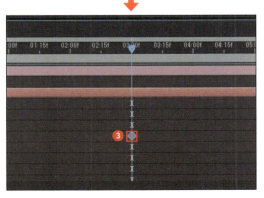

6 テキスト「位置」のZ値を変更する

時間インジケーターを6秒の位置に移動し❶、テキストの位置を変更します。テキストの移動は、オプションの「位置」にあるZ軸方向の値を、マイナスの数値が大きくなるように変更します❷。なお、プラス方向に変更すると背景の後ろに隠れてしまうので注意してください。

7 プレビューで確認する

プレビューでアニメーションを確認します。2Dから3Dの世界に変わっています。

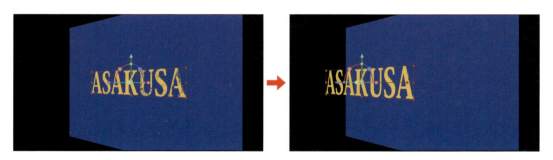

POINT 「カメラ設定」パネルについて

「カメラ設定」パネルには、以下のような機能が備えられています。

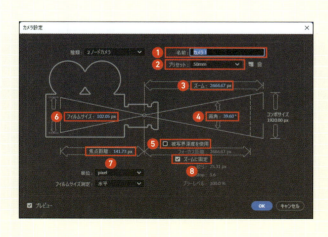

❶ **カメラ名**
レイヤーに表示される名前。

❷ **プリセット**
焦点距離、ズーム、画角などがセットされたもの。15mmの広角から200mmの望遠まで用意されています。

❸ **ズーム**
レンズからフレームまでの距離。

❹ **画角**
レンズの画角。

❺ **被写界深度を使用**
ピントを合わせる範囲。被写界深度が深いとパンフォーカス（前から後ろまでピントが合う）になり、浅いと前後がボケます。

❻ **フィルムサイズ**
フィルムのサイズ。通常は変更しないで利用します。

❼ **焦点距離**
フィルムからレンズまでの距離。

❽ **ズームに固定**
焦点距離（ピントの合う距離）をズームの距離と同じに固定します。

カメラナビゲーション用の3Dギズモ

3D空間でのカメラナビゲーションは、ツールバーに2カ所に分かれて表示されます。左側には各ツールが表示され(❶❷❸)、右側には「カーソルのまわりを周回」ツールのオプションが表示されます(❹❺❻)。なお、カメラナビゲーションでオプションがあるのは、「カーソルのまわりを周回」ツールだけです。

❶ 「カーソルのまわりを周回」ツール
❷ 「カーソルの下でパン」ツール
❸ 「カーソルに向かってドリー」ツール
❹ フリーフォーム
❺ 水平方向に制約する
❻ 垂直方向に制約する

また、各ツールのギズモを長押しすると、ツールタイプの選択メニューが表示されます。

❶ 「カーソルのまわりを周回」ツール（フリーフォーム）
カメラを回転させて、表示するアングルを自由に変更できます。

❷ 「カーソルの下でパン」ツール
カメラを、左右、上下に移動できます。

  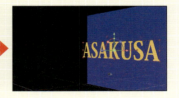

❸ 「カーソルに向かってドリー」ツール
カメラを被写体に近づけたり遠ざけたりでき、拡大／縮小が表現できます。

Section 03 ライトレイヤーを利用したアニメーション

After Effectsでは、ライトをレイヤーとして利用できます。P.298で作成したコンポジションを使って、ライトレイヤーを利用したアニメーションを作成してみましょう。

コンポジションをコピーする

すでに作成してあるコンポジションをアレンジして利用したい場合は、コンポジションを複製すると便利です。

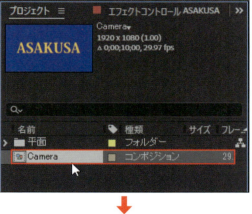

1 コンポジションを複製する

「プロジェクト」パネルで複製したいコンポジションを選択し、Ctrl + D キーを押すと、コンポジションが複製されます。コンポジションに番号が付加されている場合は、その番号も変更されます。画面では「Camera」を複製しましたが、この場合、「Camera 2」という名前と番号が自動的に振られます。

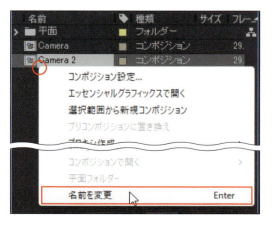

2 コンポジション名を変更する

複製したコンポジションの名前は、コンポジションを右クリックして「名前を変更」を選択すると変更できます。「Light」などの名前に変更しておきましょう。

ライトのレイヤーを設定する

コピーしたコンポジションにライトのレイヤーを追加し、アニメーションを作成する準備をしましょう。

1 テキストの位置を変更する

コピーしたコンポジションは、背景（平面レイヤー）の上にテキストが貼り付けられている状態です。ここで、テキストの位置が背景から前面に浮き上がって見える位置に変更します。P.300の手順 6 と同様に、テキストレイヤーの「トランスフォーム」→「位置」のZ値を「－100」程度に設定します。なお、テキストはアニメーションさせないので、アニメーションのストップウォッチはオフにします。

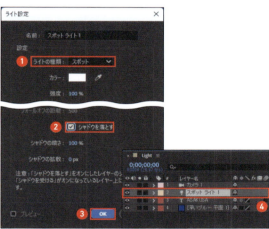

2 ライトレイヤーを設定する

「タイムライン」パネルを右クリックして「新規」→「ライト」を選択するか、メニューバーから「レイヤー」→「新規」→「ライト」を選択します。「ライト設定」ダイアログボックスが表示されるので、左のように「ライトの種類」を「スポット」に設定し❶、「シャドウを落とす」を有効に設定して❷、「OK」をクリックします❸。ライトレイヤー「スポットライト1」が追加されます❹。

3 ライトが適用される

時間インジケーターを6秒の位置に移動し、テキストオプションの「位置」のZ軸方向の値を、マイナスの数値が大きくなるように変更します。なお、プラス方向に変更すると背景の後ろに隠れてしまうので注意してください。

4 影を表示する

テキストレイヤーのオプションを開き、「マテリアルオプション」を展開します。「シャドウを落とす」オプションをクリックしてオンにします。

5 影をアレンジする

テキストの背後に影が表示されます。影のエッジが強いので、これを和らげます。ライトレイヤーのオプション「ライトオプション」を展開し、「シャドウの拡散」を「0.0」より大きな数値に変更します。数値が大きいほど、影が拡散します。ここでは「61pixel」に変更しました。なお、背景とテキストとの距離によって、影の具合や設定が変わります。

ライトの方向をアニメーションする

ライトレイヤーの「トランスフォーム」や「ライトオプション」には、さまざまなオプションが備えられています。ここでは「トランスフォーム」の「方向」を利用して、左→右→左の順番に文字を照らすアニメーションを作成してみましょう。

文字を照らすアニメーションを作成する。

1 ライトレイヤーの「トランスフォーム」を展開する

タイムラインでライトレイヤーのオプションを展開し、「トランスフォーム」を表示します。

2 開始位置にキーフレームを設定する

タイムラインの時間インジケーターを左端に移動し①、オプション「方向」のストップウォッチをクリックして②、キーフレームを設定します③。ここがアニメーションの開始位置になります。

3 Y方向のパラメーターを変更する

「方向」のパラメーターには「0.0°,0.0°,0.0°」の3種類があり、左から「X方向」「Y方向」「Z方向」になります。このうちの「Y方向」の値を変更し、ライトがテキストの左端を照らすように変更します。

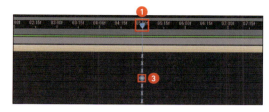

4 中間位置の設定を行う

タイムラインの時間インジケーターを5秒の位置に移動し①、「Y方向」の値を、テキストの右端がライトで照らされるように変更します②。値を変更すると、自動的にキーフレームが設定されます③。

カメラレイヤーの「トランスフォーム」→「位置」にアニメーションとキーフレームが設定されている場合は、アニメーションをオフにして、キーフレームを削除しておきます。

5 終了位置の設定を行う

時間インジケーターをタイムラインの右端に移動し、ライトでテキストの左端が照らされるように「Y方向」の値を変更します①。値を変更すると、自動的にキーフレームが設定されます②。必要に応じて、キーフレームの間隔調整、コピー&ペーストを行って、アニメーションをアレンジします。

Section 04 「ロトブラシ」で切り抜き&合成する

映像の合成は、フレームの数が多いほど大変な作業になります。これをかんたんに処理してくれるのが、「ロトブラシ」ツールです。映像から目的の部分をきれいに切り抜き、他の映像に合成できます。

「ロトブラシ」ツールで合成する

After Effectsの「ロトブラシ」ツールを利用すると、動画データから目的の部分を切り抜き、他の映像に合成することができます。たとえば下の画面では、「映像A」から提灯の部分を切り抜き、「単色の平面レイヤー」と合成して「映像B」を作成しています。なお、平面レイヤーではなく通常の動画を利用すれば、動画との合成映像が完成します。

映像A

平面レイヤー

映像B

POINT ブラシサイズを変更する

ロトブラシのブラシサイズは、Ctrl キー（macOS：command キー）を押しながらマウスを上下にドラッグして調整します。

ブラシサイズを小さくした。

1　フッテージを配置する

新規コンポジションを設定し、タイムラインにフッテージを2つ配置します。この時、上に「映像A」（IMG_0004.MOV）、下に「平面」というようにフッテージのレイヤーを配置します。また、「映像A」のレイヤー名をダブルクリックして、「レイヤー」パネルを表示します。

2　「レイヤー」パネルで切り抜きを指定する

メニューバーから「ビュー」→「解像度」→「フル画質」を選択します。続いて、「ツール」パネルから「ロトブラシ」ツールを選択し❶、切り抜いて使用したい部分をドラッグして範囲を指定します❷。ドラッグすると緑のラインが表示され、マウスのボタンを放すと、選択した範囲がピンクのラインで囲まれます。選択した範囲の修正方法（範囲の追加と削除）は、下記を参照してください。なお、画面の表示倍率を変更すると、作業がしやすくなります❸。

- 範囲の追加
  別の箇所をドラッグすると、範囲を追加できる
- 範囲の削除
  Alt キー（macOS：option キー）を押しながらドラッグすると、選択した範囲を削除できる

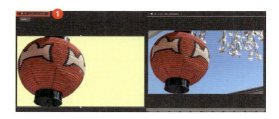

3　コンポジションを表示する

「コンポジション」タブをクリックすると❶、合成結果を確認できます。フッテージのハンドルをドラッグすると、表示位置やサイズを調整できます。また、画面左の「エフェクトコントロール」パネルでロトブラシのパラメーターを使うことで、エッジの調整などができます❷。フッテージの「トランスフォーム」では、サイズや位置なども調整できます。

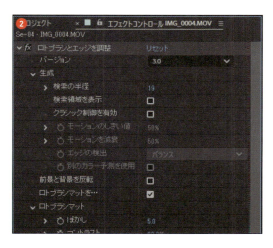

Section 05 「白黒」でセピアカラーを実現する

エフェクトの「カラー補正」にある「白黒」を利用すると、グレースケール映像のほかに、セピアなどグレースケールに着色した映像が作成できます。

映像をグレースケールに変換し着色する

ここでは、エフェクトの「白黒」を利用してカラーのフッテージを白黒に変換し、さらに着色する方法を解説します。

映像のグレースケール化、着色を行った。

1 フッテージを配置する

新規コンポジションを設定し、カラーのフッテージを読み込みます。読み込んだフッテージは、タイムラインに配置します。このとき、左の画面のようにフッテージを「新規コンポジションを作成」アイコン上にドラッグ&ドロップしても、タイムラインに配置できます。

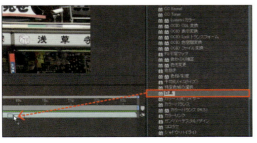

2 エフェクトを設定する

「エフェクト&プリセット」パネルから「カラー補正」→「白黒」を選択し、タイムラインのレイヤーにドラッグ&ドロップします。または、タイムラインでフッテージのレイヤーを選択し、メニューバーから「エフェクト」→「カラー補正」→「白黒」を選択しても同じです。

3 モノクロに変換される

カラーのフッテージが、モノクロに変換されます。

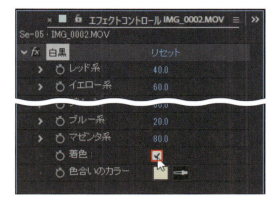

4 着色設定を行う

「エフェクトコントロール」パネルを表示し、オプションの「着色」のチェックボックスをクリックしてオンにします。

5 色を選択する

「色合いのカラー」のカラーボックスをクリックすると❶、カラーピッカーが表示されます。色を選択し❷、「OK」をクリックします❸。

6 セピアカラーに変更される

白黒のフッテージ画像が、選択した色で着色されます。

Section 06 「CC Particle SystemsⅡ」でパーティクルを作成する

「CC Particle SystemsⅡ」を利用すると、パーティクルのエフェクト、いわゆる「粒子」のエフェクトをかんたんに実現することができます。パーティクルは応用の利くエフェクトなので、基本的な使い方を覚えておきましょう。

パーティクルで星を降らせる

ここでは、エフェクト「CC Particle SystemsⅡ」を利用し、スカイツリーから星を降らしているようなエフェクトを実現してみましょう。

星のパーティクルが降るアニメーション。

1 「新規コンポジション」を設定する

After Effectsのメニューバーから、「コンポジション」→「新規コンポジション」を選択します。プリセットは「HD・1920×1080・29.97fps」を選択し❶、フレームレートは「29.97」を選択します❷。デュレーションは「5秒」に設定しました❸。

2 フッテージを配置する

新規コンポジションが設定できたら、フッテージを読み込み、タイムラインに配置します。

3 平面レイヤーを設定する

「タイムライン」パネルを右クリックして「新規」→「平面」を選択するか、メニューバーから「レイヤー」→「新規」→「平面」を選択します。「平面設定」パネルが表示されるので、左のように設定して「OK」をクリックします。すると、平面レイヤーが追加されます。「カラー」は「黒」に設定します。

4 平面レイヤーを配置する

平面レイヤーは、映像のフッテージの上に配置します。映像の下に配置された場合は、ドラッグして表示位置を変更します。

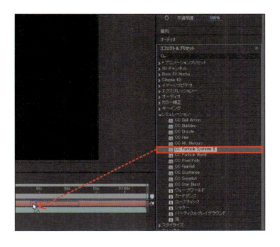

5 エフェクトを設定する

「エフェクト&プリセット」パネルから「シミュレーション」→「CC Particle SystemsⅡ」を選択し、タイムラインの平面レイヤーにドラッグ&ドロップします。または、タイムラインで平面レイヤーを選択し、メニューバーから「エフェクト」→「シミュレーション」→「CC Particle SystemsⅡ」を選択します。

6 パーティクルを確認する

タイムラインの時間インジケーターをドラッグすると、パーティクルのアニメーションが確認できます。

パーティクルのタイプを変更する

続いて、パーティクルのタイプを変更してみましょう。また、パーティクルが吹き出す方向も変更します。

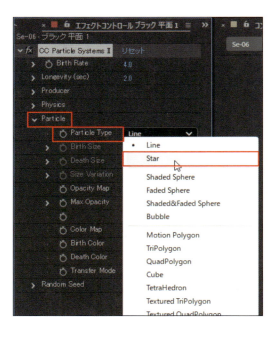

1 パーティクルのタイプを選択する

「エフェクトコントロール」パネルのオプションを表示し、「Particle」にある「Particle Type」で、「Star」というパーティクルのタイプを選択します。

2 パーティクルのタイプが変更される

パーティクルのタイプが変わります。ラインのパーティクル（デフォルト）が、星のパーティクルに変わります。

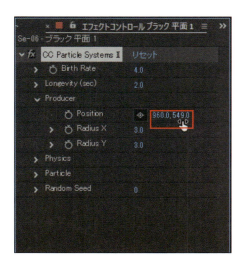

3 吹き出す位置を修正する

次に、パーティクルが吹き出す位置を変更します。位置の変更は、「Producer」オプションにある「Position」の値を変更して行います。X軸の座標変更で左右の位置、Y軸の座標変更で上下の位置を調整できます。

4　パーティクルの位置が変更された

パーティクルの吹き出す位置が変更されました。

パーティクルの表示時間を調整する

コンポジションの設定でデュレーションを10秒に設定したため、パーティクルは10秒間表示されます。この表示時間を調整する場合は、タイムラインをトリミングします。

1　タイムラインの始点をトリミングする

1秒後の位置に時間インジケーターを配置し❶、平面レイヤーのタイムラインの先端を時間インジケーターの位置までドラッグします❷。これで、パーティクルの開始時間を調整できます。

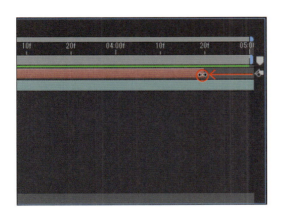

2　タイムラインの終端をトリミングする

先端と同様の方法で、タイムラインの終端をドラッグしてトリミングします。

 POINT　パーティクルの寿命

パーティクルが発生してから消えるまでの時間（寿命）は、「エフェクトコントロール」パネルにある「Longevity (sec)」オプションで設定できます。単位は「秒」です。

Section 07

「CC Snowfall」で雪を降らせる

「CC Snowfall」は、映像に雪を降らせることができるエフェクトです。ここでは、「モード」の設定を変更して効果を表示する方法について解説します。

エフェクトで雪を降らせる

ここでは「CC Snowfall」を利用して、夜の駅に雪が降るという効果を設定してみます。降る雪の表示は、平面レイヤーの「スイッチ／モード」を「スクリーン」モードに設定することで行います。

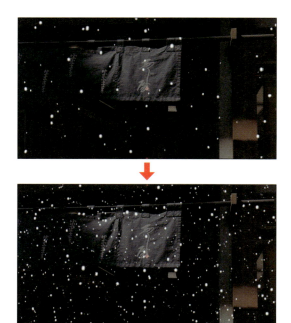

雪を降らせるアニメーション。

 POINT 「スクリーン」モード

平面レイヤーの「モード」では、描画モードを選択できます。描画モードとは、上のレイヤーが、下にあるレイヤーに対してどのように合成するかを設定する機能のことです。ここで利用する「スクリーン」は、下の画像の色に上のレイヤーの色をかけ合わせて明るくするモードです。そして、上のレイヤーの暗い部分には下の映像が表示されます。これによって、雪の部分は白く、雪以外の部分には下の映像が表示されるようになります。

1 「新規コンポジション」を設定する

メニューバーから「コンポジション」→「新規コンポジション」を選択し、新規コンポジションを設定します。ここでは、プリセットに「HD・1920×1080・29.97fps」を選択し❶、ハイビジョンに対応した5秒のデュレーション❷を持つコンポジションを設定しました。

2 フッテージを配置する

新規コンポジションが設定できたら、フッテージを読み込みます。読み込んだフッテージは、タイムラインに配置します。

3 平面レイヤーを設定する

「タイムライン」パネルを右クリックして「新規」→「平面」を選択するか、メニューバーから「レイヤー」→「新規」→「平面」を選択します。「平面設定」ダイアログボックスが表示されるので、左のように設定して「OK」をクリックします。「カラー」は「黒」に設定します。すると、平面レイヤーが追加されます。

4 平面レイヤーを配置する

平面レイヤーは、映像のフッテージの上に配置します。映像の下に配置された場合は、ドラッグして表示位置を変更します。

5 エフェクトを設定する

「エフェクト&プリセット」パネルから「シミュレーション」→「CC Snowfall」を選択し、タイムラインの平面レイヤーにドラッグ&ドロップします。または、タイムラインで平面レイヤーを選択し、メニューバーから「エフェクト」→「シミュレーション」→「CC Snowfall」を選択します。

エフェクトのオプションを設定する

平面レイヤーにエフェクトの「CC Snowfall」を設定したら、雪を降らせるための設定を行います。

1 「モード」を「スクリーン」に設定する

パネル下にある「スイッチ/モード」をクリックして❶、平面レイヤーのモードを「スクリーン」に設定します❷。

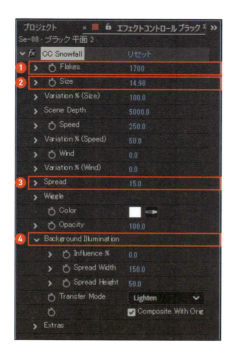

2 パラメーターを設定する

「エフェクトコントロール」パネルに、「CC Snowfall」のオプションが表示されています。ここではキーフレームを利用しないので、「エフェクトコントロール」パネルで設定を行います。主に利用するオプションは、以下の4つになります。この他、「Wind」や「Variation %（Wind）」による風の影響、「Spread」で雪の粒子に角度をつける、「Wiggle」で雪の振幅や頻度を設定するなど、リアリティを高めるためのオプションがあります。雪が目立たない場合は、「Background Illumination」の「Influence %」（背景の屈折度）を調整してみてください。

❶ Flakes：雪の量を設定する
❷ Size：雪の大きさを設定する
❸ Spread：雪の粒子にランダムな角度を設定する
❹ Background Illumination：
　雪への背景の反射を設定する

3 プレビューで確認する

設定できたら、プレビューで雪の降る状況を確認し、オプションのパラメーターを調整して仕上げます。

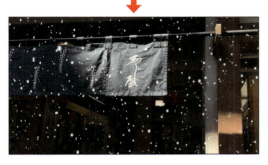

よりリアリティを増すために

雪のリアリティをアップさせるには、もう1つ平面レイヤーを一番上に追加し、これにも「CC Snowfall」を設定します。このレイヤーには、「手前に降る雪」としてのオプションを設定します。なお、このレイヤーも「モード」は「スクリーン」にします。

雪の場合、目の前の雪はサイズが大きく、落ちるスピードも速く感じられます。この違いをイメージしながら、2つの平面レイヤーに設定した「CC Snowfall」のオプションを調整します。

一番上に平面レイヤーを追加し、「CC Snowfall」を設定する。

POINT 雨を降らせるエフェクト「CC Rainfall」

「CC Snowfall」は雪を降らせるエフェクトですが、雨を降らせる「CC Rainfall」もあります。利用方法は「CC Snowfall」と基本的に変わりません。

雨を降らせる「CC Rainfall」。

Section 08 球体アニメーション用の2Dデータを作成する

ここでは、P.327まで連続で、1つの球体アニメーションを作成する手順を解説します。最初に、2Dデータの作成から始めます。

球体アニメーション作成の流れ

ここでは、4回連続のSectionで球体アニメーションの作成を行います。以下のような流れで、制作を進めていきます。

1. P.318：2Dデータを作成する
2. P.322：レイヤーをプリコンポーズする
3. P.324：球体を作成する
4. P.325：球体を回転させる

2Dデータから作成した3Dの球体を回転させる。

グリッドを作成して文字を配置する

最初にエフェクトを利用してグリッドを作成し、その上に文字を配置します。

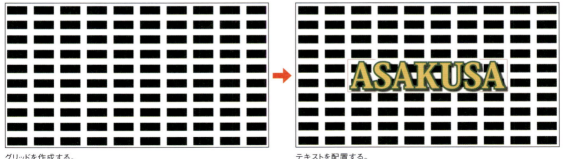

グリッドを作成する。　　　　　　　　　　　　　　テキストを配置する。

1 「新規コンポジション」を設定する

メニューバーから「コンポジション」→「新規コンポジション」を選択し、新規コンポジションを設定します。ここでは、プリセットに「HD・1920×1080・29.97fps」を選択し❶、ハイビジョンに対応した5秒のデュレーション❷を持つコンポジションを設定します。

2 平面レイヤーを設定する

「タイムライン」パネルを右クリックして「新規」→「平面」を選択するか、メニューバーから「レイヤー」→「新規」→「平面」を選択します。「平面設定」ダイアログボックスが表示されるので、左のように設定して「OK」をクリックします。「カラー」は「黒」に設定します。

3 平面レイヤーが配置される

平面レイヤーが、「タイムライン」パネルに配置されます。

4 エフェクトを設定する

平面レイヤーに、エフェクトの「グリッド」を設定します。「エフェクト&プリセット」パネルから「描画」→「グリッド」を選択してタイムラインの平面レイヤーにドラッグ&ドロップするか、タイムラインで平面レイヤーを選択し、メニューバーから「エフェクト」→「描画」→「グリッド」を選択します。

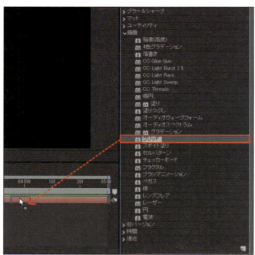

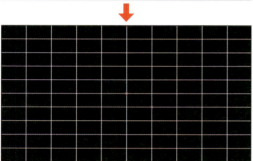

5 グリッドの幅を調整する

グリッドの幅は、「エフェクトコントロール」パネルの「グリッド」のオプションにある「ボーダー」で調整します。

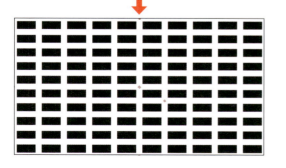

6　テキストを配置する

テキストレイヤーを追加して、文字を入力します。なお、「ストロークの上に塗りつぶし」オプションを利用すると、線の太さによって塗りが細くなることを防げます。

7　テキストに影を付ける

テキストにドロップシャドウで「影」を設定します。「エフェクト&プリセット」パネルから「遠近」→「ドロップシャドウ」を選択してタイムラインのテキストレイヤーにドラッグ&ドロップするか、タイムラインでテキストレイヤーを選択し、メニューバーから「エフェクト」→「遠近」→「ドロップシャドウ」を選択します。

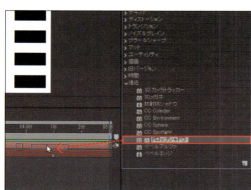

8　影を調整する

影は、「エフェクトコントロール」パネルのオプションを利用してカスタマイズします。

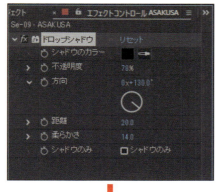

Section 09 レイヤーをプリコンポーズする

テキストレイヤーと平面レイヤーを1つのレイヤーにまとめ、「入れ子」にします。これを「プリコンポーズ」といい、複数のレイヤーをまとめてアニメーションさせる時に利用します。

プリコンポーズを設定する

平面レイヤーに平面的に作成していた図形は、球体の状態に変更するとともに、回転させたり傾けたりといった設定を行います。この時、回転などを各レイヤーごとに個別に設定するのではなく、まとめて設定するために、現在利用している複数のレイヤーを1つのレイヤーにまとめます。いわば、複数のレイヤーをグループ化し、ネスト（入れ子）された状態にするわけです。これを「プリコンポーズ」といいます。

1 ネスト化するレイヤーを選択する

最初に、ネスト化したいレイヤーをドラッグして囲み、すべて選択します。ここでは、P.319で設定したテキストレイヤーと平面レイヤーの2つのレイヤーを選択しています。

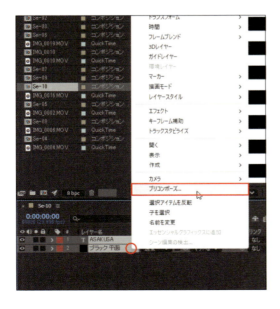

2 「プリコンポーズ」を選択する

選択したレイヤー上で右クリックし、「プリコンポーズ」をクリックします。

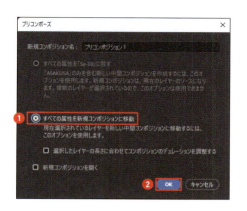

3 「プリコンポーズ」を設定する

「プリコンポーズ」ダイアログボックスが表示されるので、「すべての属性を新規コンポジションに移動」を選択し❶、「OK」をクリックします❷。コンポジション名は、必要に応じて変更してください。画面では、デフォルトのままです。

4 レイヤーとして登録される

「プロジェクト」パネルに、新しく「プリコンポジション1」というコンポジションが追加されます❶。「タイムライン」パネルには、「プリコンポジション1」というレイヤーが追加されます❷。「レイヤー」パネルには、コンポジションがレイヤーとして配置されています。

5 レイヤーを展開する

「タイムライン」パネルの「プリコンポジション1」レイヤーは、複数のレイヤーをネストしたレイヤーです。このレイヤーをダブルクリックすると❶、レイヤーが展開されてグループ化されているレイヤーを確認できます❷。展開された2つのレイヤーは最初に設定したレイヤーで、このレイヤーを「プリコンポジション1」というコンポジション名で1つにまとめています。

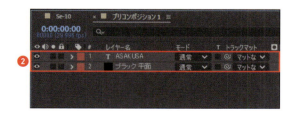

6 コンポジションを閉じる

「タイムライン」パネルで展開したコンポジションは、タブ名の左端にある「×」をクリックすると、閉じることができます。

Section 10 「CC Sphere」で球体を作成する

プリコンポーズで1つのレイヤーにグループ化されたコンポジションに対して、ここでは球体にマッピングするエフェクトを設定します。ここで利用するのが、「CC Sphere」というエフェクトです。

レイヤーに「CC Sphere」を設定する

プリコンポーズで複数のレイヤーを1つにまとめたレイヤー「プリコンポジション1」に対して、レイヤーを球状にマッピングする「CC Sphere」を適用します。

2Dデータを球体に変形させる。

1 「CC Sphere」を適用する

「エフェクト&プリセット」パネルから「遠近」→「CC Sphere」を選択し、タイムラインのコンポジションレイヤーにドラッグ&ドロップするか、タイムラインでコンポジションレイヤーを選択し、メニューバーから「エフェクト」→「遠近」→「CC Sphere」を選択します。

2 レイヤーが球体に変わる

マッピングされたレイヤーが、球体で表示されます。この場合、レイヤーは3D空間でコントロールできるようになります。

Section 11 球体を回転させる

「CC Sphere」で球体にマッピングしたレイヤーは、3D空間に展開されています。ここでは、この球体を回転させます。ポイントは回転方向の変換です。

球体を回転させる

前節で作成した球体を、Y軸を中心として地球のように回転させてみましょう。この場合はキーフレームを利用するので、タイムラインで作業を行います。

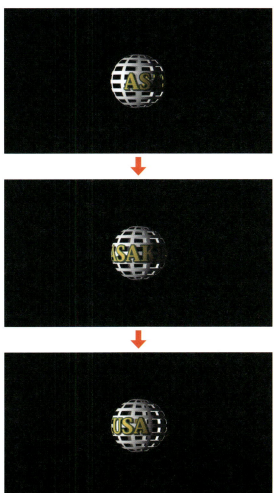

球体を右回りに回転させる。

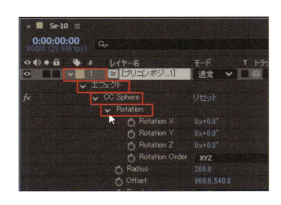

1 オプションを展開する

レイヤー「プリコンポジション1」のオプションを、「エフェクト」→「CC Sphere」→「Rotation」と展開します。同じオプションは「エフェクトコントロール」パネルにも表示されていますが、キーフレームを利用するので「タイムライン」パネルの方が使いやすいです。

2 時間インジケーターを開始位置に合わせる

タイムラインの時間インジケーターを、タイムラインの一番左端に合わせます。ここがアニメーションの開始点になります。

3 Y軸のキーフレームを設定する

パラメーター「Rotation」にある「Rotation Y」の先頭にあるストップウォッチをクリックして、アニメーションをオンにします❶。時間インジケーターの位置に、キーフレームが設定されます❷。

4 時間インジケーターを終了位置に合わせる

タイムラインの時間インジケーターを、タイムラインの一番右端に合わせます。ここがアニメーションの終了点になります。

5 回転数を設定する

球体を2回転させてみます。時間インジケーターがタイムラインの右端にある状態で、「CC Sphere」のオプション、「Rotation Y」のパラメーターで、次のように回転数を設定します。回転数を入力すると、キーフレームも自動的に設定されます。「2x」で2回転という意味になります。

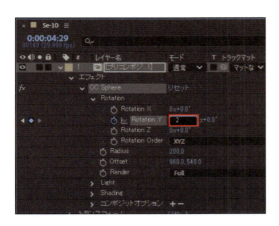

「0x + 0.0°」→「2x + 0.0°」

6 反対方向に回転させる

続いて、「Rotation Y」の回転数を「−2」に変更します。これで、回転方向が右回りになります。

「2x + 0.0°」→「−2x + 0.0°」

POINT 球体に当たる光の色を設定する

球体に色を設定する方法としては、球体化するシェイプに色を設定する方法もありますが、「CC Sphere」のオプション「Light」の「Light Color」で球体に当たる光の色を変更することで、自然な色を表現できます。デフォルトでは「白」が設定されています。なお、回転の設定はこのオプションでも可能です。

「CC Sphere」の「Light Color」で光の色を変更する。

POINT 地球儀を作る

「CC Sphere」を利用すれば、地球儀も作れます。この場合、地球の平面画像が必要になりますが、ネットからダウンロードするのが一番かんたんです。以下の画面は、「Wallpaper Abyss」というサイトで配布されているデータを利用して作成したものです。いろいろなサイトでも世界地図が配布されているので、著作権に注意しながらセレクトして利用してください。

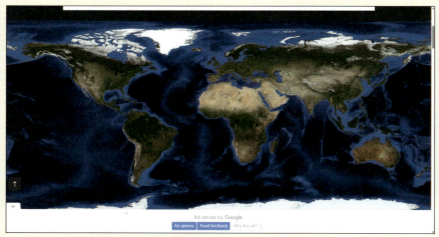

「Wallpaper Abyss」で地球の平面図を入手する。
(https://wall.alphacoders.com/wallpaper.php?i=590923)

After Effectsにフッテージとして取り込む。

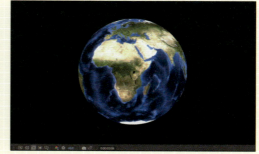

取り込んだフッテージに「CC Sphere」を適用して、地球を作成する。P.325で解説している「球体を回転させる」の方法で回転させれば、地球儀の完成。

Chapter

11

After Effects 編

After Effects から出力する

Section 01 Media Encoderから出力する

After Effectsで作成したプロジェクトデータは、Premiere Proから出力するケースがほとんどです。しかし、After Effectsから直接、動画として出力することも可能です。

Media Encoderで出力する

After Effectsから直接出力する方法にはいくつかの種類がありますが、ここでは「Media Encoder」を利用して出力する方法について解説します。「Media Encoder」は、Creative Cloudで提供されているAdobeの動画ファイル出力専用プログラムです。After EffectsやPremiere Proから、ビデオファイルやオーディオファイルを出力（トランスコードおよびレンダリング）することができます。Media Encoderは、After EffectsやPremiere Proをインストールすると、同時にインストールされます。

Media Encoderのスタートメニュー。

1 コンポジションを選択する

動画ファイルとして出力したいコンポジションを選択します。

2 Media Encoderを選択する

メニューバーから「ファイル」→「書き出し」→「Adobe Media Encoderキューに追加」を選択します。

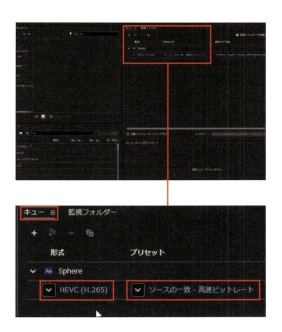

3 Media Encoderが起動する

Media Encoderが起動し、編集画面が表示されます。画面の右上に「キュー」タブがあり、ここに、手順1で開いたコンポジションが登録されています。登録されているコンポジションは、出力されるファイル形式として「H.265」がデフォルトで設定されています。
また、画質は「Match Source - Adaptive High Bitrate」が選択されていますが、「v」をクリックして画質を選択することができます。

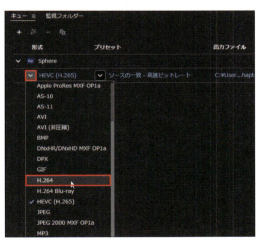

4 ファイル形式を変更する

表示されている「HEVC（H.265）」の先頭にある「v」をクリックすると、ファイル形式を選択するプルダウンメニューが表示されます。また、名前の「HEVC（H.265）」をクリックすると、詳細な設定ができる設定パネルが表示されます。サンプルのデータを出力する場合、デフォルトでH.265が選択されます。これをH.264で出力する場合は、左の画面のようにH.264を選んでください。

5 「キューを開始」をクリックする

必要なプリセットをすべて設定できたら、「キュー」タブにある「キューを開始」をクリックします。ファイルの出力が開始されます。出力先は、「出力ファイル」にある出力ファイル名をクリックして変更できます。

6 エンコードが開始される

それぞれのファイルのエンコード状態は「エンコーディング」タブに表示され、各ファイルの進行状況を確認できます。

Section
02
「レンダーキューに追加」から出力する

「Media Encoder」を利用する以外にも、After Effectsから動画を出力する方法はあります。ここでは「レンダーキューに追加」を見てみましょう。

「レンダーキューに追加」で出力する

After Effectsから動画ファイルを出力する場合、After Effectsから出力できる動画のファイル形式が限られているため、基本的には先に解説した「Media Encoder」を利用します。しかし、3Dアプリケーションやアニメーション作成ソフトで利用する、動画のフレームを1枚ずつの画像データとして出力するシーケンシャル系の動画ファイルは、「レンダーキューに追加」でかんたんに出力することができます。

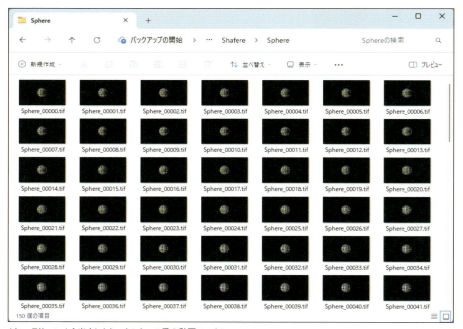

After Effectsから出力したシーケンシャル系の動画ファイル。

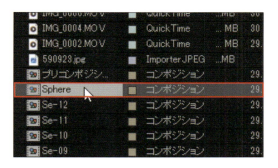

1 コンポジションを表示する

出力したいコンポジションをダブルクリックして表示します。

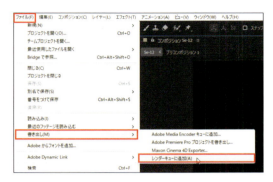

2 「レンダーキューに追加」を選択する

メニューバーから「ファイル」→「書き出し」→「レンダーキューに追加」を選択します。なお、出力したいコンポジションを開いていないと、「レンダーキューに追加」が選択できません。

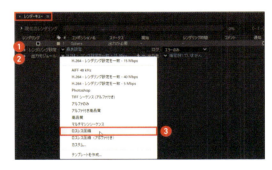

3 「レンダリング設定」を設定する

「タイムライン」パネルに「レンダーキュー」が表示されます。ここでは、「レンダリング設定」❶と「出力モジュール」❷という2つのオプションがあります。このうち、「レンダリング設定」は「最良設定」のままでOKです。「出力モジュール」の「v」をクリックして、表示されたメニューから「ロスレス圧縮」を選択します❸。

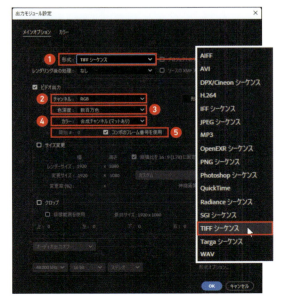

4 「出力モジュール」を設定する

「出力モジュール」に表示されている「ロスレス圧縮」をクリックすると、「出力モジュール設定」が表示されます。ここでは、多くの3Dアプリケーションで利用できる汎用性の高い形式を設定することができます。なお、デフォルトで「形式」は「AVI」形式が設定されていますが、ここをクリックして形式を変更できます。たとえば「TIFFシーケンス」形式で出力することも可能です。

❶ 形式：TIFFシーケンス
❷ チャンネル：RGB
❸ 色深度：数百万色
❹ カラー：合成チャンネル（マットあり）
❺ 開始：コンポのフレーム番号を使用（オン）

5 出力先を指定する

デフォルト設定以外の場所に出力したい場合は、「出力先」をクリックして保存先を設定します。

6 出力を実行する

「タイムライン」パネルの右上にある「レンダリング」をクリックすると、ファイルが出力されます。

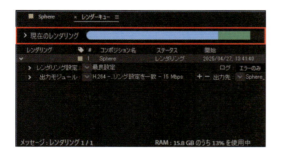

7 ファイルが出力される

出力状況は、パネルの上部に青いバーで表示されます。なお「AMEでキュー」をクリックすると、Media Encoderへ出力情報を転送し、Media Encoderから出力できるようになります。

 シーケンシャルファイルの特徴

TIFFファイルは可逆圧縮を利用した画像形式です。これによって、オリジナル画像の画質を保つことができます。この特徴を活かし、TIFFファイルを動画データとして利用すると、高画質な動画を利用することが可能になります。

TIFFシーケンシャルファイルは、Premiere Proでも動画素材として読み込んで利用できます。読み込みは、通常の動画ファイル同様に、「読み込み」からファイルを選択して読み込みます。このとき、読み込む対象はファイルではなく、連番ファイルが保存されているフォルダーを読み込んでください。フォルダー内のファイルが連続でシーケンスに読み込まれ、動画として利用できます。

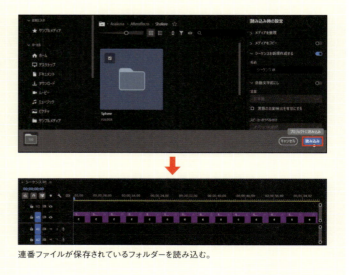

連番ファイルが保存されているフォルダーを読み込む。

Chapter

12

Premiere Pro & After Effects 連携編

Premiere Proと After Effectsを 連携させる

Section 01 Premiere ProにAfter Effectsのコンポジションを読み込む

ここでは、After EffectsのコンポジションをPremiere Proに読み込み、Premiere Proのクリップとして利用する方法を解説します。

After EffectsのコンポジションをPremiere Proの素材として利用する

After Effectsでモーショングラフィックスなどを作成したコンポジションがある場合、そのコンポジションをPremiere Proに読み込んで、クリップとして利用できます。これによって、映像とモーショングラフィックスをかんたんに合成できます。

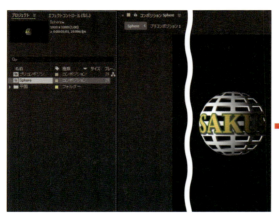
After Effectsで作成したコンポジション。

Premiere Proに読み込んでクリップとして利用する。

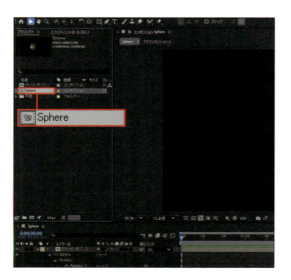

1 After Effectsでアニメーションを作成する

After Effectsで、モーショングラフィックスなどのアニメーションを作成しておきます。左の画面は、Chapter 10で作成した球体を回転させるアニメーションです。コンポジション名は「Sphere」としています。

2 プロジェクトを保存する

After Effectsで作成したアニメーションのプロジェクトを、ファイル名を設定して保存します。ファイル名は「sphere.aep」、プロジェクト名は「Sphere」としています。

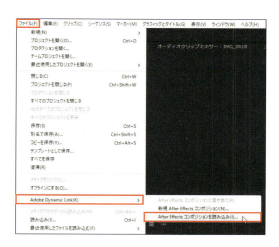

3 Premiere Proで編集を行う

Premiere Proで動画を編集します。ここに、After Effectsのコンポジションを取り込みます。

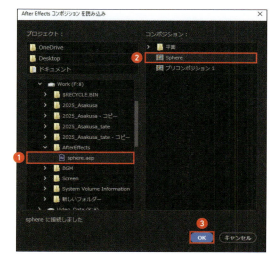

4 読み込み方法を選択する

Premiere Proのメニューバーから、「ファイル」→「Adobe Dynamic Link」→「After Effectsコンポジションを読み込み」を選択します。

5 コンポジションを選択する

「After Effectsコンポジションを読み込み」ダイアログボックスが表示されるので、手順 2 で保存したプロジェクトファイル（「sphere.aep」）を選択します❶。右側の「コンポジション」には、プロジェクト内にあるコンポジション名が表示されます。利用したいコンポジション（「Sphere」）を選択して❷、「OK」をクリックします❸。

6 コンポジションが読み込まれる

Premiere Proの「プロジェクト」パネルに、選択したコンポジションがクリップとして読み込まれ、登録されます。左からビデオクリップ❶、シーケンス❷、コンポジション❸です。

Premiere Proのシーケンスに配置する

「プロジェクト」パネルに読み込んだAfter Effectsのコンポジションを、シーケンスのトラックに配置します。

1 ビデオトラックに配置する

「プロジェクト」パネルに読み込んだAfter Effectsのコンポジションは、After Effectsで作成したデュレーションの設定でクリップとして読み込まれています。このクリップを、シーケンスのビデオトラックにドラッグ&ドロップで配置します。なおコンポジションのクリップは、ビデオクリップが配置されているビデオトラックよりも上のトラックに配置します。

2 アニメーションを確認する

ビデオトラックに配置したクリップに再生ヘッドを合わせると❶、アニメーションが表示されます。「プログラムモニター」の「再生」をクリックし❷、アニメーションを確認します。

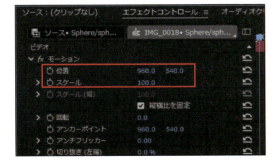

3 表示位置やサイズを変更する

アニメーションの表示位置やサイズは、配置したクリップを選択して「エフェクトコントロール」パネルで調整します。「モーション」のオプションを利用し、表示位置は「位置」で、サイズは「スケール」で調整します。

After Effectsでの変更をダイレクトに反映させる

After Effectsで作成したコンポジションをPremiere Proにクリップとして読み込んで配置した場合、After Effects側で再編集すると、その変更がダイレクトにPremiere Proのコンポジションに反映されます。なお、「プロジェクト」パネルに登録されているコンポジションを右クリックして「オリジナルを編集」を選択しても、After Effectsを起動して再編集できます。

1 After Effectsで再編集する

After Effectsで、Premiere Proに読み込ませたコンポジションを再編集します。ここでは、テキストの色を変更してみました。

2 Premiere Proに反映される

After Effects側でコンポジションを変更すると、変更内容がPremiere Proのクリップにも反映されます。After Effects側で保存操作を行わなくても反映されますが、終了する時には、After Effectsで保存を実行してください。

Section 02 Premiere ProのクリップをAfter Effectsのコンポジションに置き換える

Premiere Proには、シーケンスに配置したクリップをAfter Effectsのコンポジションに変更し、After Effectsでのモーションや効果を設定できる「置き換え」機能があります。

クリップをコンポジションに変換する

Premiere Proには、「After Effectsコンポジションに置き換え」という、少し特殊な機能があります。この機能を利用すると、シーケンスに配置したクリップをAfter Effectsにいったん転送し、さまざまな効果を設定できるフッテージとしてAfter Effectsの「タイムライン」パネルに配置することができます。

置き換え前。

置き換え後。

1 Premiere Proで編集する

Premiere Proで、通常通りプロジェクトを編集します。特別にAfter Effects向けに何かをするということはありません。

340

2 「After Effectsコンポジションに置き換え」を選択する

シーケンスに配置したクリップのうち、After Effectsで加工したり効果を使ったりしたいクリップを選択して右クリックし❶、「After Effectsコンポジションに置き換え」を選択します❷。なお、Premiere Proで「ファイル」→「Adobe Dynamic Link」を選択しても、「After Effectsコンポジションに置き換え」を選択できます。ただし、事前にクリップを選択しておかないと、このコマンドはアクティブになりません。

3 After Effectsのプロジェクトを保存する

After Effectsが起動していない場合は、自動的にAfter Effectsが起動してプロジェクトの保存ウィンドウが表示されます。After Effectsのプロジェクト名を入力して❶、「保存」をクリックします❷。

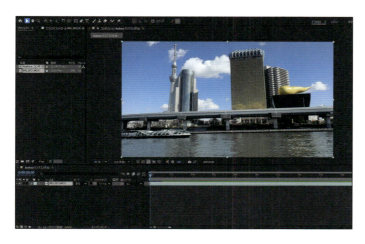

4 After Effectsが起動する

After Effectsが起動すると、Premiere Proで右クリックした動画クリップがAfter Effectsに転送され、「タイムライン」パネルにフッテージとして配置されています。

 After Effectsが起動している場合

すでにAfter Effectsが起動している場合は、表示されているコンポジションのタイムラインに、新しいフッテージとして配置されます。

After Effectsで演出やモーションを追加する

フッテージとして配置されたクリップに対して、After Effectsでエフェクトやモーションを設定します。

1 コールアウトタイトルを設定する

ここではP.262で作成したコールアウトタイトルを、タイムラインに配置されたフッテージに対して設定します。画面では、5秒のコンポジションとして作成しています。

2 トラッキングを設定する

5秒のコールアウトタイトル用コンポジションと同じデュレーションで、トラッキングを設定します。トラッキングの設定も、P.285と同じです。ヌルオブジェクトを設定して親にします。

3 モーショングラフィックスを確認する

After Effectsで設定した効果を確認します。

Premiere Proに切り替える

After Effectsでの設定が終わったら、Premiere Proに切り替えます。Premiere ProのクリップがAfter Effectsのコンポジションに置き替わり、モーションなどもきちんと反映されています。

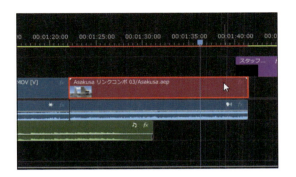

1 Premiere Proを表示する

Premiere Proに画面を切り替えると、右クリックして「After Effectsコンポジションに置き換え」を選択したクリップが、After Effectsのコンポジションに置き替わっています。

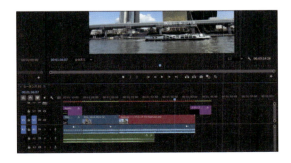

2 モーションも反映されている

After Effectsで設定したコールアウトタイトルも、きちんと反映されています。なお、トランジションなどは無効になってしまうので、再度設定してください。

Section 03 Premiere ProからAfter Effects のコンポジションを作成する

「After Effectsコンポジションに置き換え」とよく似た機能に、「新規After Effectsコンポジション」があります。こちらは、After EffectsのコンポジションをPremiere Proのシーケンス上に作成します。

Premiere ProからAfter Effectsの新規コンポジション作成を指定する

Premiere Proでは、Premiere ProからAfter Effects用の新規コンポジション作成を指定し、After Effectsでアニメーションなどを作成することができます。作成されたコンポジションは、Premiere Proに素材クリップとして登録されます。

Premiere Proのプロジェクトに登録されたAfter Effectsのコンポジション。

1 「新規After Effectsコンポジション」を選択する

Premiere Proで編集中のプロジェクトのメニューバーから、「ファイル」→「Adobe Dynamic Link」→「新規After Effectsコンポジション」を選択します。このとき、必ずしもAfter Effectsが起動している必要はありません。

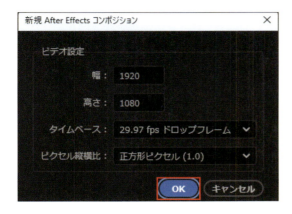

2 設定内容を確認する

「新規After Effectsコンポジション」ダイアログボックスに、Premiere Proで編集中のシーケンス設定が表示されます。設定内容を確認して、「OK」をクリックします。

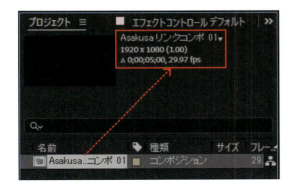

3 プロジェクト名を入力する

After Effectsが起動し、「別名で保存」ダイアログボックスが表示されます。ここでAfter Effectsのプロジェクト名を入力し❶、「保存」をクリックします❷。

4 After Effectsの編集画面が表示される

After Effectsが表示され、「プロジェクト」パネルにコンポジションが1つ登録されています。画面では、「Asakusaリンクコンポ 01」と、Premiere Proのプロジェクト名を使ったコンポジション名が設定されています。

5 デュレーションを変更する

作成されるコンポジションのデュレーションはデフォルトで30秒なので、これを5秒に変更します。After Effectsで「コンポジション」→「コンポジションの設定」を選択し、「コンポジション設定」ダイアログボックスを表示します。「デュレーション」を5秒に変更します。

6 アニメーションを作成する

レイヤーを登録して、利用したいアニメーションなどを作成します。ここでは、シェイプの「パスのトリミング」によるアニメーション（P.272）と、「アニメーター」の「位置」とマスクを利用してテキストが1文字ずつ表示されるテキストアニメーション（P.224）を作成しました。

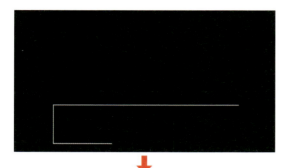

7 プロジェクトを保存する

After Effectsのメニューバーから「ファイル」→「保存」を選択して、プロジェクトを保存します。

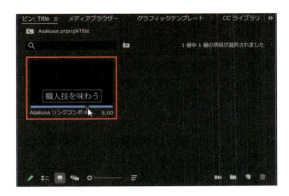

8 Premiere Pro に戻る

画面を Premiere Pro に切り替えると、「プロジェクト」パネルにコンポジションがクリップとして登録されています。

9 クリップをトラックに配置する

コンポジションのクリップを、シーケンスのトラックに配置します。これで、After Effects で作成したアニメーションを Premiere Pro で利用できるようになります。必要に応じて、シェイプ等の演出を Premiere Pro で追加してください。

After Effects で変更。

Premiere Pro に反映される。

10 変更がダイレクトに反映される

この方法で登録されたコンポジションは、After Effects で行った修正が自動で Premiere Pro に反映されます。たとえば After Effects で文字色を変更して保存を実行すると、ダイレクトに Premiere Pro 側に反映されます。

Index
索引

数字

0dB	143
1文字ずつのアニメーション	224
2K	15
3Dギズモ	301
3Dピン	296
3Dレイヤー	294
3Dレンダラー	186
3D変形ギズモ	296
4K	15
4点の長方形マスクの作成	92

英字

Adobe Dynamic Link	337
Adobeフォント	209
After Effectsコンポジションに置き換え	340
AIFF形式	134
AI機能	68
AMEでキュー	334
Apple ProRes	166
AVCHD規格	14
BGM	134
CC Particle Systems II	310
CC Rainfall	317
CC Snowfall	314
CC Sphere	324
dB	137
fx	79
H.264	12,165
H.265	13,165
HD	14
Jキー	56
Kキー	56
Lumetriカラー	101
Lキー	56
Media Encoder	167,330
MOV形式	14
MP3形式	134
MP4形式	12,14
MPEG-4 AVC	14
Premiere Proの画面構成	30
QuickTime	166
Qキー	55
Rotation	326
SD	14
spaceキーで再生	200
TIFFシーケンス	333
Wallpaper Abyss	328
WAV形式	134
Wキー	56
YouTube	170

あ行

明るさ（明度）の調整	102
アスペクト比	11
アニメーション作成のための5つのポイント	213
アニメーター	224
アピアランス	111
アピアランスの変更	183
アンカーポイント	214
アンカーポイントの移動	238
イージーイーズ	234
イージーイーズの解除	236
位置	211
移動するアニメーション	210
入れ子	322
色の変更	101
エッセンシャルサウンド	136
エフェクト	75
エフェクト&プリセット	320,324
「エフェクトコントロール」パネル	65,78
エフェクトのアニメーション	82
エフェクトのオプション	78
エフェクトの削除	79
「エフェクト」ワークスペース	79
エンコーディング	169
エンコード	12
オーディオ	139
オーディオクリップ	134
オーディオクリップミキサー	140
オーディオゲイン	145
オーディオトラック	37
オーディオトラックミキサー	143
オーディオトランジション	148
オーディオハードウェア	157
オーディオ波形	136
オリジナルを編集	339
音声データの削除	155
音声のリンクの解除	154
音量の調整	136

か行

「カーソルに向かってドリー」ツール	301
「カーソルの下でパン」ツール	301

「カーソルのまわりを周回」ツール	301	ゲイン	145
解像度	15, 186	現在時間インジケーター	194
回転	216	合成	175
回転角度	217	コーデック	12
回転するアニメーション	216	コールアウトタイトル	262
会話	144	コンスタントゲイン	148
カメラ設定	296, 300	コンスタントパワー	148
カメラナビゲーション	301	コンテナファイル	12
カメラレイヤー	294, 296	コントラストの調整	102
カラー補正	308	コンポジション	185
カラーマット	74	コンポジションの切り替え	232
環境設定	32, 182	コンポジションの再設定	187
キーフレーム	119	コンポジションの複製	302
キーフレームの移動	221	コンポジションの流用	265
キーフレームの間隔を調整	241	コンポジション名	185
キーフレームの削除	222	コンポジション名の変更	233, 302
キーフレームの操作	221, 222	コンポジションを削除する	233
逆回転	217	コンポジションを閉じる	232
逆方向トラッキング	94	コンポジションを開く	233
ギャップ	50	コンポジションを複製する	233
ギャップの削除	51		

さ行

キャプション	127	サイズが変化するアニメーション	214
キャプション環境設定	128	再生成	71
キャプションとグラフィック	104	再生ヘッド	37
キャプションの作成	127	彩度	100
キャプションプリセット	128	サインイン	171
キュー	167	サブタイトル	106
球体アニメーション	318	サムネイルの設定	172
球体の回転	325	サムネイルを選択	25
キューを開始	169	シーケンシャルファイル	334
境界線	113	シーケンス	36
境界のカラー	67	シーケンスの条件	40
境界の幅	67	シーケンスの名前	26
行間の調整	121	シーケンスのネスト	49
切り抜き	88	シーケンス名	42
クイック書き出し	162	シーケンスを新規作成する	26
クラウドAIモデル	68	シェイプ	244
グラフエディター	236	シェイプレイヤー	190
グリッド	320	時間スケール	37
グリッドの表示	207	色相	100
クリップの削除	50	色相／彩度カーブ	101
クリップの挿入	47	色相vs色相	101
クリップの並べ替え	48	指数フェード	148
クリップの配置	46	実際のソース表示	66
クリップボリューム	137	自動保存	33, 183
クロスフェード	149	自動文字起こし	26
クロップ	88		

349

シャドウの拡散	304	デシベル表示	137
シャドウを落とす	303	デフォルトエフェクト	86
出力設定の削除	168	デフォルト入力	157
出力モジュール	333	デュレーション	64
順方向トラッキング	93	デュレーションの変更	64
白黒	308	デュレーションバー	194
新規After Effectsコンポジション	344	テロップ	104
新規コンポジション	176	トラッキング	285
新規ビンに追加	26	トラックの削除	58
新規プロジェクト	176	トラックの追加	57
垂直方向中央	207	トラックヘッダー	37
垂直方向に中央揃え	110	トラックポイント	288
水平方向中央	207	トランジション	60
水平方向に中央揃え	110	トランジションの削除	63
ズームアウト	38	トランジションの変更	62
ズームイン	38	トランスフォーム	117,210
ズームハンドル	37,38	トリミング	52
「スクリーン」モード	314	ドロップシャドウ	113

な行

図形	244	ナレーション	156
図形の色の変更	246	ヌルオブジェクト	287
スケール	214	ネスト	322
「スター」ツール	245	ノーマライズ	144
ストロークの設定	209		

は行

スナップ機能	46	パーティクル	310
スポットライト	303	背景	114
スロープ	147	ハイビジョン	14
生成拡張	68	バウンディングボックス	108
整列	207	パス	228
整列と変形	110	パスとテキストの結合	230
セピアカラー	308	パスに沿って動くアニメーション	228
「総合カメラ」ツール	294	パスのトリミング	274
速度グラフ	236	パブリッシュ	171
素材を追加	34	範囲セレクター	227
		反転パス	230

た行

タイトル	104	ピクセル縦横比	185
タイムコード	11	ピクチャー・イン・ピクチャー	87
「楕円形」ツール	251	ビジュアルエフェクト	175
着色	309	ビデオエフェクト	75
「ツール」パネル	180	ビデオトラック	37
ディスクキャッシュ	182	ビン	26
テキストアニメーション	204	ファイル名と場所	162
テキストの修正	114	フェードアウト	74,146
テキストの入力	206	フェードイン	73,146
テキストの表示位置	110	フェードハンドル	146
テキストレイヤー	190,206		
デコード	12		

フォントサイズ	110	文字色	111
フォントの変更	112, 209	文字色の変更	209
フッテージ	177, 188	「文字」ツール	105
不透明度	218	「文字」パネル	208
ブラー（ガウス）	95		

や行

ブラシサイズの変更	306	読み込み	27
フリーフォーム	301	「読み込み」画面	23
プリコンポーズ	282, 322	読み込み時の設定	26

ら行

プリセット	162, 185	ライトオプション	304
フレーム	10	ライト設定	303
フレームレート	10, 185	ライトレイヤー	302
プレビュー	44, 200	ラウドネス	144
プロジェクトの保存	187, 201	ラバーバンド	138
プロジェクトバージョン	33	「リップル」ツール	54
プロジェクトを新規作成	20	「リミックス」ツール	150
「プロパティ」パネル	86, 109	リンク解除	154
平面設定	311	レイヤー	190
平面レイヤー	190, 251	レイヤーの移動	197
ベクトルモーション	117	レイヤーの削除	197
編集点	60	レイヤーの作成	191
編集ライン	37	レイヤーの種類	190
ボイスオーバー録音	158	レイヤーの順番	192
ホーム画面	20	レイヤーのトリミング	194
ボリューム	139	レイヤーの複製	197
ホワイトノイズ	160	レイヤーの分割	196
		レイヤーの編集	194

ま行

マスク	90, 96, 250	レベル	139, 145
マスク&トラック	90	レンズフレア	78
マスクの拡張	252	レンダーキューに追加	332
マスクの境界のぼかし	99	レンダリング	169
マスクの削除	94	レンダリング設定	333
マスクの反転	98	レンダリングバー	123
マスクパス	254	ロール機能	123
マテリアルオプション	303	ロールタイトル	120
ミックス	143	録音機能	156
明度	100	録音デバイス	156
メディアのプロパティ	41	ロスレス圧縮	333
メディア分析	26	ロトブラシ	306
メディアをコピー	26		

わ行

メディアを整理	26	ワークスペース	28
モーショングラフィックス	174		
モーションブラー	236		
モーションブラーの効果	242		
モード	314		
モザイク	91		
文字起こし	124		

■著者略歴

阿部 信行（あべ のぶゆき）

千葉県生まれ
日本大学文理学部独文学科卒業

テクニカルライターとして、これまでに動画関連を中心とした数多くのガイドブックを執筆してきました。複雑で難しい内容も、誰にでもわかりやすく伝えることをモットーに、素材作成から、構成・執筆まで一貫して対応しています。テーマさえあれば、印刷物や動画、Webといったアナログ、デジタルなど多様な表現へと展開できるのが強みです。現在は、動画とWebを融合させた新しい表現方法に挑戦中。読者の「知りたい、学びたい」に応える実践的なコンテンツ制作を得意としています。

- Adobe Community Expert
- YouTubeチャンネル「動画の寺子屋」指南役
- 株式会社スタック代表取締役

●Webサイト
https://stack.co.jp

●最近の著書

『Illustrator & Photoshop & InDesign　これ1冊で基本が身につくデザイン教科書 [改訂新版]』（技術評論社）
『ゼロから学ぶ動画デザイン・編集実践講座』（ラトルズ）
『今すぐ使えるかんたん　Premiere Pro　やさしい入門』（技術評論社）
『Premiere Pro & After Effects いますぐ作れる！ムービー制作の教科書 改訂4版』（技術評論社）
『YouTuberのための動画編集逆引きレシピ DaVinci Resolve 18対応』（インプレス）
『Premiere Pro デジタル映像編集 パーフェクトマニュアル』（ソーテック社）
『After Effects パーフェクトガイド』（技術評論社）

ブックデザイン／小口翔平＋畑中茜（tobufune）
レイアウト・本文デザイン／株式会社ライラック
編集／大和田洋平
技術評論社Webページ／https://book.gihyo.jp/116

お問い合わせについて

本書の内容に関するご質問は、下記の宛先までFAXまたは書面にてお送りください。なお電話によるご質問、および本書に記載されている内容以外の事柄に関するご質問にはお答えできかねます。あらかじめご了承ください。

〒162-0846
新宿区市谷左内町21-13
株式会社技術評論社　書籍編集部

「Premiere Pro & After Effects
いますぐ作れる！ムービー制作の教科書
[改訂第5版]」質問係

FAX番号　03-3513-6183

なお、ご質問の際に記載いただいた個人情報は、ご質問の返答以外の目的には使用いたしません。また、ご質問の返答後は速やかに破棄させていただきます。

Premiere Pro & After Effects
いますぐ作れる！
ムービー制作の教科書 [改訂第5版]

2015年11月25日　初版　第1刷発行
2025年 8月 1日　第5版　第1刷発行

著　者　　阿部　信行
発行者　　片岡　巌
発行所　　株式会社技術評論社
　　　　　東京都新宿区市谷左内町21-13
　　　　　電話　03-3513-6150　販売促進部
　　　　　　　　03-3513-6166　書籍編集部
印刷／製本　株式会社加藤文明社

定価はカバーに表示してあります。
本書の一部または全部を著作権法の定める範囲を越え、無断で複写、複製、転載、テープ化、ファイルに落とすことを禁じます。

©2025　阿部信行

造本には細心の注意を払っておりますが、万一、乱丁（ページの乱れ）や落丁（ページの抜け）がございましたら、小社販売促進部までお送りください。送料小社負担にてお取り替えいたします。

ISBN 978-4-297-14962-8 C3055
Printed in Japan